J'entrai dans ce gigantesque bijou de granit,
aussi léger qu'une dentelle, couvert de tours, de
sveltes clochetons, où montent des escaliers
tordus,
et qui lancent dans le ciel bleu des jours, dans le
ciel noir des nuits, leurs têtes bizarres hérissées
de chimères, de diables, de bêtes fantastiques,
de fleurs monstrueuses, et reliés l'un à l'autre par
de fines arches ouvragées.
Quand je fus sur le sommet, je dis au moine qui
m'accompagnait :
«Mon Père, que vous devez être bien ici!»
Il répondit : «Il y a beaucoup de vent, Monsieur»;
et nous nous mîmes à causer en regardant monter
la mer, qui courait sur
le sable et le couvrait d'une cuirasse d'acier.
Et le moine me conta des histoires, toutes les
vieilles histoires de ce lieu, des légendes,
toujours des légendes.

Guy de Maupassant, *le Horla*

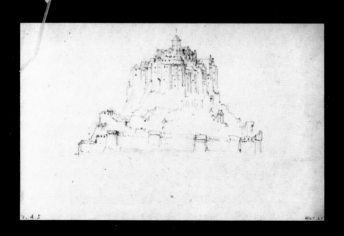

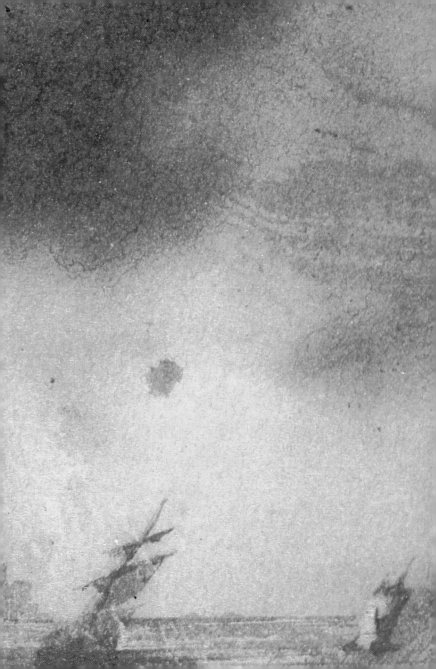

Homme du Midi séduit par les brumes normandes, agrégé de lettres, amateur d'architecture médiévale, Jean-Paul Brighelli, après avoir participé à la rédaction des *Dumas* et *Malraux* de la collection «Découvertes», s'est lancé avec enthousiasme à l'assaut du mont Saint-Michel, qui en a vu bien d'autres.

*Tous droits de traduction
et d'adaptation réservés
pour tous pays*
© *Gallimard 1987*

*1ᵉʳ dépôt légal: Octobre 1987
Dépôt légal: Avril 1992
Numéro d'édition: 55998
ISBN: 2-07-053042-6
Imprimé en Italie*

ENTRE CIEL
ET MER
LE MONT SAINT-MICHEL

Jean-Paul Brighelli

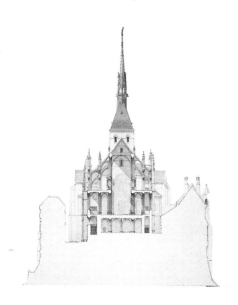

DÉCOUVERTES GALLIMARD
ARCHITECTURE

En cette nuit d'octobre de l'an 708, Aubert, l'évêque d'Avranches, dort d'un sommeil hanté de songes. Comme les nuits précédentes, l'archange saint Michel lui est apparu, ordonnant de lui construire un sanctuaire sur l'antique mont Tombe, au milieu de la baie. Et pour qu'il n'oublie pas, l'Archange a posé son doigt de lumière sur sa tête, le marquant à jamais.

CHAPITRE PREMIER

LA DIMENSION DES MIRACLES

C'est au XIe siècle que l'on retrouva, dans la cellule d'un moine, Bernier, qui les avait dérobés, les ossements d'Aubert - ou, en tout cas, ceux qu'on lui attribua. Le crâne porterait la trace du doigt de l'archange, à moins que ce soit là le résultat d'une trépanation rituelle de l'époque néolithique ou mérovingienne.

Ce qu'était le mont Tombe en cette aube du VIIIe siècle

Un mamelon arrondi de granit, haut de 78 mètres, au milieu d'une baie profonde dont le profil n'avait rien à voir avec ses contours actuels, car la terre a partout gagné sur la mer : ainsi se présente alors le mont Tombe.

Curieuse situation géologique, mais qui n'a rien d'exceptionnel : plusieurs collines (Tombelaine, plus au nord dans la baie, ou le mont Dol, à l'est) ont la même configuration, restes anciens du soulèvement hercynien, aujourd'hui ceinturés de terres alluvionnaires, entre les trois bras de la Sée, de la Sélune et du Couesnon.

Sans même passer par la digue, on peut de nos

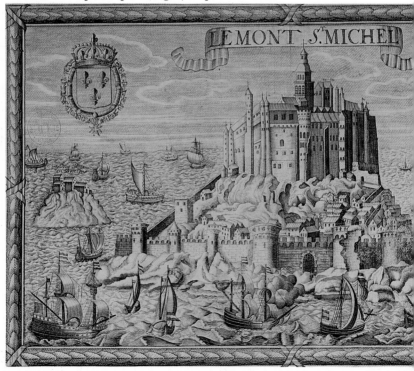

jours gagner le Mont à pied sec par les grèves, sauf par grandes marées. Au Moyen Age, le mont Tombe est une île à chaque fois que la mer monte, et les gravures anciennes nous montrent des trois-mâts là où ne passerait plus une barque à fond plat. Le Mont est bien alors «au péril de la mer», et le restera jusqu'à la fin du XIXe siècle.

Tombe : du romain «tumba», tumulus, ou du celte «tun», éminence? Ou des deux à la fois?

Les hommes ont, de tout temps, en tous lieux, installé leurs cultes sur des hauteurs. Mais en l'état, rien ne prouve qu'un culte ait été rendu – et à quels dieux? – sur le mont Tombe.

Cependant on peut presque affirmer qu'un monument mégalithique était dressé au sommet

du Mont. Mais quel était-il? Un menhir comme à Carnac, ce que semblerait attester la légende de cette grande pierre qu'Aubert n'arrivait pas à renverser, car Satan la tenait fermement par dessous? Ou un cromlech, vestige de quelque culte solaire, comme à Stonehenge – ce que l'on pourrait inférer de la forme circulaire qu'Aubert donne à son premier temple?

Ce qui est sûr, c'est que ce monument, peut-être simplement naturel, résiste à l'évêque, venu avec maint ouvrier construire la chapelle exigée par l'Archange. Le douzième fils de l'un des manœuvres, l'«enfantelet» Bain, renverse, du bout des doigts, la pierre colossale.

Et ce fait n'est pas unique : au Mont, souvent, les mythes se recoupent. L'enfant Bain, fort de son innocence, réussit

Le bréviaire du duc de Bedford, manuscrit exécuté à Paris pendant l'occupation anglaise, vers 1424, contient des miniatures illustrant l'histoire du Mont. Il faut les chercher parmi les 4 300 médaillons «historiés» appartenant à la décoration marginale de l'ouvrage.

À gauche, trois pèlerins se dirigent vers un Mont entouré d'arbres, ce qui évoque sa situation d'avant l'envahissement de la mer. Ci-dessus, c'est l'histoire de l'ouvrier Bain dont le fils seul sut renverser la pierre plantée par Satan au sommet du mont Tombe.

là où tous avaient échoué, comme Arthur de Bretagne, à peine adolescent, avait dégagé Excalibur du rocher où elle était plantée.
Sur cette pierre Aubert construira son église.

Où le mont Saint-Michel pourrait bien n'être qu'une réplique du mont Gargan, en Italie du Sud

Le Gargano, ou Monte Sant'Angelo, culmine à près de mille mètres, dans les Pouilles, sur l'éperon de la botte italienne.

Le 8 mai 490, Laurent, évêque de Siponte, apprend que devant la grotte du mont qui domine sa ville, un taureau agenouillé parle. Pour confirmer le miracle, saint Michel apparaît à l'évêque, lui enjoignant de bâtir un sanctuaire autour de cette grotte qui est, avec sa source, le point de ralliement (et sans doute un lieu de culte) des bergers du pays.

L'histoire précise encore que le propriétaire du taureau, courroucé par la fuite de l'animal, avait tiré une flèche sur la bête indocile. Et que la flèche

D'après la légende, Saint Michel fait trois apparitions successives sur le mont Gargan. En 490, le seigneur Elvio Emanuele, parti à la recherche d'un taureau perdu, le retrouve agenouillé dans une caverne inaccessible. Et ses flèches se retournent contre lui (en haut, à droite). L'évêque Laurent (en bas, à droite), alerté, a trois jours plus tard la vision de l'Archange lui disant : «... il n'y aura plus de sang de taureau versé ici», allusion évidente aux sacrifices antiques faits à Mithra et à Apollon.

En 492, dans Siponte assiégé par les hordes d'Odoacre, Laurent obtient l'aide de l'Archange qui disperse les barbares d'une pluie de sable et de grêle. En 493, l'Archange apparaît une troisième fois à l'évêque qui, sur son ordre, pénètre enfin dans la grotte : il y trouve un autel recouvert d'un tissu rouge et, à l'entrée, l'empreinte d'un pied d'enfant, trace évidente de l'Archange.

ricocha sur elle, sans la blesser, et revint frapper l'archer à la main.

Comme Laurent, Aubert rêve l'Archange. Comme lui, il trouve au sommet du mont Tombe un taureau dérobé qui, en tournant sur sa longe autour de son piquet, a circonscrit une aire, sur-matérialisée dans d'autres versions par une orbe de rosée miraculeuse. Et Aubert de bâtir une chapelle circulaire, reproduisant par art la forme qui au mont Gargan était là par nature, la grotte.

Pour invoquer saint Michel, Laurent pouvait avoir deux raisons, en supposant une supercherie pieuse en cette époque friande de miracles. L'Archange, «chef des milices célestes», serait le naturel défenseur de Siponte, menacé par les hordes barbares ravageant l'Italie (Rome, en 410, était tombée devant les armées du chef wisigoth Alaric). Voilà pour le temporel.

Pour le spirituel, le problème est plus complexe, et nécessite une analyse rapide de saint Michel comme culte de substitution.

Où l'on voit saint Michel récupérer les fonctions et les attributs d'anciennes divinités solaires

Des monts Gargan, l'Europe en connaît mille. En l'état des recherches, Gargan est un dieu pré-grec, un géant qu'Héraclès se vante parfois d'avoir assommé, et qui fut assimilé au devin Calchas, prêtre d'Apollon, auquel il est établi que l'on rendait un culte sur le mont Gargan. Lorsqu'on remonte aux origines du mythe, Gargan passe aussi pour le fils de Belen (ou Bélénos, ou Bélénus...), dieu solaire des Celtes. Il réapparaît enfin dans la mythologie française en Gargantua, dès les *Grands et Inestimables Chroniques* dont Rabelais s'inspirera pour son Pantagruel de 1532. Dans ce récit anonyme, Gargantua enterre sur le mont Tombe ses parents

Grantgosier et Galemelle, avant de se mettre au
service d'Arthur. Tout se tient.

L'auteur de ces *Chroniques* appelle
régulièrement le mont Tombe mont Gargan, et
plus tard les inventaires imprimés des archives de
la Manche nomment pareillement le mont Saint-
Michel. Tout se retrouve. Aubert ne se contente
pas d'imiter Laurent, il l'imite en des lieux
étymologiquement semblables.

Saint Michel est à la confluence chrétienne de
plusieurs mythes païens. Il est Bélénus, dieu celte.
Il est assimilé à Apollon, dieu gréco-romain. Et
dans «le Mariage de Roland» de *la Légende des
siècles*, Hugo évoquera «l'Archange saint Michel
attaquant Apollo»...

Il est enfin assimilé à Mithra, dieu oriental
adopté par les Romains et les Gallo-Romains.

Comme Gargan-Bélénus, saint Michel
aime l'altitude. Comme Apollon,
jadis vainqueur du serpent Python,
fils de la Terre, Michel triomphe
du dragon suscité par Satan. Dans les
deux traditions, on
retrouve le même
affrontement,
non pas entre
le bien et le mal,
catégories
métaphysiques
tardives, mais entre
les dieux chtoniens,
puissances souterraines,
et les puissances
célestes. Et la lumière
vainc la nuit.
Comme Mithra
enfin, maître des
troupeaux de bovins,
Michel, au mont
Gargan comme au
mont Tombe, est
révélé par le
miracle du taureau.
Tout se répète.

Au mont Dol, du côté du couchant, où pour certains commença le combat de Michel contre l'ange révolté, on montre encore une grande pierre plate, dite autel de Mithra. Et Tombelaine, comme le Tomblaine de Lorraine (d'ailleurs situé sur le même parallèle géographique), est sans doute un diminutif de tombe : son nom ancien est Tombella; sauf qu'on a fini par y voir un «Bélénus», le tumulus de Bélénus : les étymologies aussi participent du même syncrétisme qui est la base du culte de l'Archange.

Saint Michel dans la tradition chrétienne : envoyé, guerrier, et peseur d'âmes

Au-dessus des anges, envoyés ordinaires de Dieu, ces «êtres étoilés que nous nommons archanges» selon Victor Hugo, sont les messagers extraordinaires. Gabriel prévient Zacharie de la naissance de Jean-Baptiste, annonce à Marie celle de Jésus et, dans le Coran, informe Mahomet de sa vocation de prophète. Michel parlera à Jeanne d'Arc.

«Mais en quelle langue parlait-il?» demande justement à Jeanne un docteur en théologie qui se croyait bien fin, quoique empêtré dans un lourd accent limousin. «Meilleure que la vôtre», rétorque la bergère.

Apollon avait son sanctuaire à Delphes, où il avait tué un dragon, le serpent Python, né de la Terre. Symboliquement, le Soleil, puissance céleste, l'emporte sur les forces chtoniennes, remontées du tréfonds. Sur cette fresque de Pompéi, le dieu, vêtu seulement d'une cape rouge, joue de la lyre devant le serpent qu'il vient de tuer.

Mithra est un dieu itinérant. Issu sans doute du Mitra indien, il transite par l'Iran; de nombreux taureaux sont sacrifiés en son honneur. Son culte se répand dans le monde hellénistique, puis envahit Rome et son empire, dont la Gaule. Sa fête, le 25 décembre, est à l'origine de la fête de Noël.

Le chevalier peseur d'âmes

Mi-ka-el en hébreu, c'est un cri : «Qui se prétend comme Dieu?» L'Archange veille, et écrase toute insurrection contre le Père; ainsi celle de Lucifer, cet archange déchu, autrefois porteur de lumière, à présent précipité dans l'abîme au terme de son combat. Michel est le guerrier. Au Moyen Age, il sera le chevalier : les écuyers sont élevés à la dignité de chevalier «au nom de saint Michel et de saint Georges». Saint Michel, substantivation d'un cri, devient le cri de guerre de la chevalerie. Le paladin Roland l'invoque sans cesse. Mais l'Archange a aussi un autre rôle : les balances à la main, il pèse les âmes au jour du Jugement.

66 Les mains jointes il est allé vers sa fin. Dieu lui envoya son ange Chérubin, Et saint Michel au péril de la mer ; Ils vinrent ensemble avec saint Gabriel, Et portent l'âme du comte en Paradis. **99**

La Chanson de Roland

Un archange à la croisée des mythes

Cette peinture catalane de la fin du XIVe siècle reprend les deux représentations de saint Michel, enfonçant de la main droite sa lance dans la gueule du dragon et tenant de la main gauche le fléau de la balance qui pèse les âmes. Elle retrace également les étapes essentielles de la double carrière de l'Archange au mont Gargan, à gauche, et au mont Tombe, à droite. On retrouve l'épisode du taureau : la flèche qui lui a été envoyée se retourne contre l'archer et le frappe au front. Au-dessous, l'évêque Laurent se dirige avec le clergé et les habitants de Siponte vers la grotte miraculeuse pour y bâtir un oratoire.
A droite, l'archange apparaît à Aubert, lui enjoignant également de bâtir un sanctuaire sur le mont Tombe; au dessous, une version du «miracle des grèves» : ici, Michel protège la femme enceinte qui, perdue au milieu des grèves et du flot montant, met au monde son enfant sans que la vague ose l'effleurer.

Dans la hiérarchie céleste, les sept chœurs d'anges sont les Séraphins, les Chérubins, les Vertus, les Puissances, les Principautés, les Archanges et les Anges. Ce sont là des principes abstraits auxquels on a, par la suite, donné figure humaine.

A côté de cette fonction de courrier, qui permettra parfois une assimilation de Michel à Mercure, les archanges sont des gardiens. Selon que l'on se réfère à la Bible, au Talmud ou au Coran (le caractère primitivement oriental du culte des archanges est évident), nous apprenons que les différentes tribus qui hantaient les déserts étaient sous la protection, chacune, d'un archange. Gabriel veille sur Zabulon, Juda et Issachar, au nord; Raphaël sur Benjamin, Ephraïm et Manassé, au sud. Uriel sur Nephtali, Dan et Asher, à l'ouest ; Michel sur Gad-Ruben et Siméon, à l'est, du côté du soleil levant...

Des légendes successives fortifient le caractère sacré du Mont

Deux légendes, à peine postérieures à l'installation des Bénédictins dans l'abbaye, consacrent définitivement le Mont dans la hiérarchie des sanctuaires. Celle du serpent d'Irlande lui assure une renommée internationale. Un serpent monstrueux désole la contrée. Les armes du roi Elgar, les prières de l'archevêque Ivor sont impuissantes. On décide finalement une attaque en masse contre la bête, mais quand les chevaliers arrivent, le monstre est déjà froid. On le brûle et on en disperse les

cendres quand, dans cette poussière de dragon, Ivor distingue deux objets insolites : un écu de bois de cèdre et de cuir durci ; une épée d'acier, très courte, encore tachée du sang du monstre. Bouclier et épée sont de dimensions curieuses, de vrais jouets d'enfant.

La nuit suivante, Ivor voit saint Michel en songe, qui lui ordonne de faire porter ces reliques à son sanctuaire préféré, sans autre précision. Les deux chanoines chargés d'apporter les armes saintes au mont Gargan font route vers l'Italie... Mais inexorablement, quelque chemin qu'ils prennent, ils s'en vont vers l'ouest ; chaque soir c'est face à eux que le soleil se couche. Désespérant de jamais gagner le sud, ils implorent l'Archange : Michel leur apparaît, serviable, pour les informer que son lieu sur la Terre c'est maintenant le mont Tombe. C'est sous l'abbé Hildebert que se situe le second miracle, où saint Michel (ou la Vierge) protège une femme enceinte que la marée submergeait...

Il y a une double tradition du «miracle des eaux» : dans un cas, c'est saint Michel qui protège et sauve une femme enceinte que la marée submergeait ; dans l'autre, représenté sur ce manuscrit français du XIVe siècle, c'est la Vierge. Les deux traditions en fait se complètent : les grèves sont le terrain commun de l'Archange, honoré au mont Tombe, et de la mère du Christ, pour laquelle on construira une chapelle, visitée régulièrement par les pèlerins, sur Tombelaine.

«Se voyant si près de mourir, et hors du secours des hommes, elle invoqua tout haut Jésus, et Marie, et l'Archange. Les pèlerins ne l'entendirent pas, mais au Ciel son cri fut entendu.

«La douce mère de Dieu, là-haut, se lève de son trône; la sainte Patronne, pleine de pitié, étend un voile impénétrable sur la pauvre femme, qui, protégée de la sorte, fut gardée de la fureur des flots : car au sein même de l'onde, le voile de la Vierge lui faisait un abri.

«Le temps du reflux approchait, la multitude se tenait encore sur la côte; nul n'espérait que la pauvre femme fût sauvée. Alors la mer se retira, et hors de l'abîme on la vit sortir saine et sauve, tenant entre ses bras un bel enfant qui sous le voile de Marie était né.» C'est Uhland, un poète allemand du XIXe siècle qui, dans un lied dédié à la Vierge, rappelle cette belle légende.

Sur le lieu du miracle, sur la grève, entre la Sée et la Sélune, l'abbé Hildebert fait élever une colonne de trente mètres, appelée depuis la croix des Grèves, jusqu'au XVIIe siècle où elle disparut emportée par la mer enfin triomphante.

Où, par une histoire de petits cailloux, le Mont acquiert une autonomie définitive

Après la construction du premier oratoire, l'Archange réapparaît à Aubert qui, sur son conseil, expédie deux chanoines au mont Gargan.

Derrière la grotte miraculeuse se trouve une sorte de carrière dont on extrait des fragments du rocher consacré par l'Archange. Les pèlerins emportent chez eux ces reliques. Or donc les chanoines délégués par Aubert reçoivent des

Dans les dernières séquences du Bréviaire du duc de Bedford, on voit les deux messagers envoyés par Aubert au mont Gargan. L'abbé du lieu leur donne un morceau de la couverture rouge, déposée par Michel sur l'autel de la grotte, et un fragment du marbre portant l'empreinte de son pied.

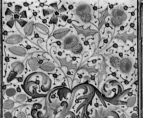

religieux du mont Gargan un fragment du marbre et un morceau du voile rouge qu'il avait rapporté du Paradis et posé sur l'autel. Ces reliques sont pieusement ramenées et conservées en Normandie.

A ce stade, le mont Saint-Michel fait clairement acte de vassalité auprès du mont Gargan. Mais au début du XIe siècle, sous l'abbé Hildebert II, un pèlerin italien venu au mont normand rapporte chez lui, sans en rien dire à personne, un fragment du rocher consacré. Pouvoir des choses saintes : ses affaires et sa famille prospèrent. Châtiment du forfait : une paralysie peuplée de cauchemars le terrasse.

A quelque temps de là, deux religieux du mont Saint-Michel, partis en pèlerinage au mont Gargan (comme pour un renouvellement symbolique des vœux de vassalité), apprennent des religieux italiens l'aventure de ce malheureux. Ils vont le voir, n'ont aucune peine à lui faire avouer sa faute, et le convainquent de rapporter au Mont le caillou dérobé. Ce qu'il fait, avec la conclusion heureuse qu'on imagine. Autrefois demandeur de reliques, le mont Saint-Michel, à l'aube de sa grandeur, en devient le pourvoyeur. Au moment même où Hildebert commence l'église romane, la sainteté du Mont s'inscrit dans ses plus humbles pierres.

C'est dans un décor de la fin du Moyen Age que saint Michel terrasse le dragon infernal, tel que le décrit l'Apocalypse de saint Jean, auquel le texte manuscrit fait référence. Dans le même esprit d'appropriation des mythes, l'enlumineur de ce «Missel de Charles VI» associe la légende initiale de l'Archange et les légendes de son apparition au mont Gargan.

La tradition fixe au 16 octobre 708 la dédicace du nouveau sanctuaire au sommet du mont Tombe. Aubert réorganise la vie religieuse du Mont, et y installe douze clercs «qui doivent persévérer, avec de légitimes règles, dans le service du très heureux Archange». Délégués de l'évêque, ces chanoines forment la première communauté organisée jamais installée au Mont.

CHAPITRE II
LE TEMPS DES MOINES

D'après les légendes locales, le combat de l'Archange contre la Bête commença sur le mont Dol, où Satan tenait tête au chevalier céleste. C'est en le précipitant au-dessus du mont Tombe que Michel put en venir à bout. Une miniature des *Très Riches Heures du duc de Berry* donne cette image du combat, l'Archange dominant le Mont.

Saint Aubert surveille les travaux; mais, dans la miniature du XVᵉ siècle, c'est bien sûr le mont Saint-Michel de cette époque, avec ses murailles dressées, qui est représenté.

De la situation du Mont en ces premières années du VIIIᵉ siècle

Aubert se soucie de la vie matérielle des douze chanoines : il transfère au nouveau sanctuaire la possession des communes d'Huysnes et de Genêts. Pour faire bonne mesure, il trouve sur le Mont, par une révélation de l'Archange, une source d'eau potable... Enfin, il construit aussi une chapelle à saint Pierre, où il sera plus tard inhumé, conformément à la tradition médiévale.

Le Mont s'appelle toujours Tombe que déjà la renominalisation, symptomatique d'une passation entre l'ancien et le nouveau, commence alentour. Aubert avait envoyé quérir des reliques au mont Gargan. Au retour des chanoines, la population se presse, émerveillée. Une aveugle du village d'Astériac, face au Mont, guérit miraculeusement au passage des saints ossements : «Qu'il fait beau voir!» répète-t-elle alors. C'est ainsi, assurent les chroniques, qu'Astériac, nom qui sentait par trop la Gaule, devient Beauvoir, qui fleure bon la France.

En attendant, la France n'existe pas. Les

Le mont Tombe, bloc de granit, semblait peu fait pour retenir les sources. Pourtant, de sa crosse épiscopale, Aubert frappe le rocher d'où l'eau jaillit - comme jadis Moïse fit jaillir l'eau du désert.

royaumes mérovingiens sont partagés entre Austrasie (à l'est) et Neustrie (à l'ouest). Curieusement, l'évêché d'Avranches, peut-être à cause de liens nobiliaires plus anciens, a longtemps été rattaché aux domaines de l'Est : isolé au bout du monde, entre une Bretagne de légende et une Normandie qui n'existe pas encore, le mont Tombe s'engloutit dans l'oubli.

Où, sans se déplacer, le mont Tombe passe de Bretagne en Normandie

Agonie de la Neustrie : Pépin réunifie les deux royaumes, le pouvoir des Carolingiens s'affirme définitivement. Charlemagne, pour fervent de saint Michel qu'il soit, se fait couronner en Allemagne. C'est son petit-fils, Charles le Chauve, qui s'intéresse enfin aux «marches» de l'Ouest en confiant le Cotentin au Breton Salomon. C'est qu'il faut un pouvoir unique, même celte, pour résister aux incursions de plus en plus fréquentes de ces Northmen qu'on appelle Vikings.

ommeut Rolles le duc des normãe Recurut baptesme Et fusõ purnin Robert le duc digmitanne qui lui donna le nom de robe et ot a feme gille la fille du roy de flanca ~

Le Mont prend son nom définitif. En 911, Charles le Simple, par le traité de Saint-Clair-sur-Epte, donne le pays de Caux à Rollon, le monstrueux chef de ces Scandinaves qui désolent le royaume et que le comte Eudes, en 886, a eu tant de mal à repousser de Paris. La dotation de terres fixe à jamais les drakkars. La Normandie valant bien une messe, Rollon se fait baptiser.

En 933, Guillaume Longue-Epée reçoit du roi Raoul les trois évêchés de Basse-Normandie et fait une donation aux chanoines du mont Saint-Michel. C'est peut-être à ce moment qu'est remanié l'oratoire d'Aubert et que l'on construit une chapelle à deux nefs, consacrées l'une à la sainte Trinité, l'autre à la Vierge.

Architecturalement, le rectangle s'impose là où régnait le cercle. La référence à la grotte originelle

Rollon naît vers 860 et occupe la Normandie à partir de 911. Avec ses hommes, il se fait baptiser et les Vikings se fixent alors définitivement sur ce territoire. A sa mort, vers 933, la Normandie est devenue la terre des Northmen.

La première généalogie des ducs normands est simple. A Rollon succède Guillaume Longue-Epée, puis Richard Ier Sans-Peur (942-996), qui en baron dévoué - ou clairvoyant - aide Hugues Capet à conquérir le trône de France. Lui succède Richard II, dit le Bon, sans doute parce qu'il protégea l'Eglise - et non parce qu'il réprima sauvagement une révolte paysanne. On le voit ici, en haut à gauche, coiffé de la couronne ducale, représenté dans le Cartulaire du mont Saint-Michel. Il fait une donation, inscrite sur une longue charte, à l'abbé du Mont, probablement Almod : au centre siège Mauger, évêque d'Avranches; à droite, le comte Robert, coiffé d'un bonnet phrygien. Son fils Richard III fut détrôné (d'aucuns disent assassiné) par Robert Ier le Magnifique, dit aussi Robert le Diable, futur père de Guillaume le Conquérant.

disparaît, preuve de la plus grande autonomie du Mont; l'oratoire circulaire couronnait le rocher, la nouvelle chapelle est la première brique du fabuleux jeu de construction qui va se mettre en place en direction des cieux.

Cependant les conflits frontaliers avec les Bretons ne cessent qu'en 963, lorsque les Normands, appuyés de Norvégiens, nettoient définitivement l'Avranchin.

Trois ans plus tard, Richard Ier installe les Bénédictins à l'abbaye.

Partout de grandes communautés monastiques se mettent en place, à Jumièges, à Saint-Wandrille, à Fécamp. Les ducs voient avec raison dans l'ordre de saint Benoît un ciment civilisateur, générateur justement d'ordre. Postérieurement, les moines justifieront (dans l'*Introductio monachorum)* leur installation par des motifs religieux : réformer une abbaye laissée en friche par des chanoines insoucieux. Le politique alors ne peut que s'appuyer sur le religieux : l'intemporel justifie le temporel.

De saint Benoît (VIe siècle) à saint Bernard (XIIe siècle), ou ce que c'est que le monachisme

«Si quelqu'un veut être mon disciple, qu'il renonce à lui-même, qu'il se charge de sa croix et qu'il me suive» : ainsi parle le Christ, tel est le fondement du monachisme.

Etymologiquement, moine signifie seul. Mais dès la fondation du monastère du mont Cassin par saint Benoît de Nursie, les moines se regroupent en communautés dont, sous Charlemagne, saint Benoît d'Aniane précise la règle.

Trois temps dans cette règle : le travail manuel, la prière et la *lectio divina*, lecture et méditation des textes sacrés. La règle organise aussi le fonctionnement de l'abbaye, sous la direction d'un abbé (du syriaque *abba*, «père»), assisté d'un conseil et parfois de toute l'assemblée des moines réunis en chapitre.

La règle distribue la journée en tranches de trois heures, rythmées par les offices : prime (au lever du soleil), tierce, midi, none (début de l'après-midi), vêpres (de *vesper*, «soir»), complies et, la nuit, matines et laudes (à l'aube). Pendant des siècles ce temps monastique règle le temps laïque.

Cette règle, pour rigide qu'elle paraisse, fut toutefois assez rapidement pervertie pour que des

Saint Benoît de Nursie naît vers 480. Très tôt, il se retire du monde, dans une grotte. En 525, il s'établit au mont Cassin, où il fonde le premier monastère bénédictin, à partir duquel l'ordre rayonnera sur toute l'Europe, structurant des royaumes politiquement antagonistes. Saint Benoît meurt en 547, mais son action est prolongée par son disciple, le pape Grégoire le Grand (590-604).

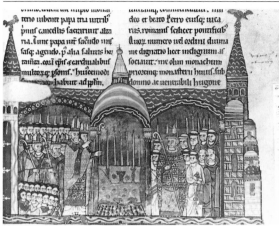

réformes successives s'imposent. L'apparition de l'ordre de Cluny, du nom de l'abbaye bourguignonne fondée en 909, est le signal de la première «colonisation» bénédictine; à la fin du XIe siècle l'ordre a essaimé partout en Europe : huit cent quatre-vingt-quatre monastères en France, quatre-vingt-dix-neuf en Allemagne et en Suisse, cinquante-quatre en Lombardie, quarante-quatre en Angleterre, trente et un en Espagne.

Cette «couverture» bénédictine crée l'Europe au moment même où les royaumes existent à peine, où les rois sont des entités presque abstraites à côté   des barons aux pouvoirs plus tangibles.

Pour les clunisiens, les principaux devoirs des moines sont l'office divin, l'hospitalité et l'aumône. Si les moines accueillent tout le monde,

En 910, l'abbé Bernon obtient de Guillaume le Pieux le domaine de Cluny, dans le Mâconnais. Après la consécration de l'autel par le pape Urbain II (ci-contre), Cluny devient l'un des principaux centres religieux d'Europe. L'abbé Odon (926-942), voyageur inlassable, répand dans les monastères bénédictins le retour à la règle primitive exaltée à Cluny. Les vrais organisateurs sont ses successeurs, Aimar et Maieul, qui structurent l'ordre clunisien sur toute l'Europe. L'abbaye arrive à son apogée sous l'abbé Odilon (994 à 1045). Son successeur Hugues construit à Cluny, à partir de 1088, la plus grande église du monde chrétien. C'est de là qu'en 1095 part la première croisade (ci-dessous, sur une miniature).

ils le font toutefois selon une hiérarchie précise. Ici se fixent les trois ordres de la société médiévale dont le clergé, du haut de ses campaniles, gère les rapports.

Les abbayes sont fort riches, dotées par des seigneurs désireux de s'attirer les grâces et les prières des frères, et alimentées par les aumônes des fidèles. Le ver est dans le fruit.

En 1115, saint Bernard fonde l'abbaye de Clairvaux pour abriter les cisterciens (de l'ordre de Cîteaux), bénédictins réformés soucieux d'en revenir à une règle que Bernard voit partout fort maltraitée.

«Dites-moi, pauvres – si toutefois vous êtes de vrais pauvres –, que fait l'or dans vos sanctuaires ?» La colère de Bernard se déchaîne

«Quand les yeux se sont ouverts d'admiration pour admirer les reliques des saints enchâssés dans l'or, les bourses s'ouvrent à leur tour pour laisser couler l'or. On expose la statue d'un saint ou d'une sainte et on la croit d'autant plus sainte qu'elle est chargée de couleur... En guise de candélabres on voit de véritables arbres d'airain travaillés avec un art admirable et qui n'éblouissent pas moins par l'éclat des pierreries que par celui des cierges dont ils sont chargés. Ô vanité plus insensée que vaine! Les murs de l'église sont étincelants de richesses et les pauvres sont dans le dénuement ; ses pierres sont couvertes de dorures et ses enfants sont privés de vêtements; on fait servir le bien des pauvres à des embellissements qui charment le regard des riches...»

A Monte Oliveto, en Toscane, une fresque de Signorelli est consacrée à la vie de saint Benoît (ci-dessus), là où sa règle est le mieux vécue: «Nous allons donc constituer une école où l'on apprenne le service du seigneur. En l'instituant, nous espérons n'y rien établir de rigoureux, ni de trop pénible. Néanmoins, si, pour l'amendement des vices et pour la conservation de la charité, nous allons jusqu'à un peu de rigueur, garde-toi de fuir la voie du salut, dont l'entrée est toujours étroite.»

Plus loin saint Bernard s'attaque même à l'une des activités essentielles des moines, la copie et l'enluminure (les trésors des parchemins du Mont, conservés à la bibliothèque d'Avranches, donnent une bonne idée de ce qu'était ce travail qui magnifiait la parole divine en la surchargeant de signes). Il faut en effet imaginer le décor des abbayes romanes, aujourd'hui d'un aspect si sévère. Les murs qui nous paraissent à présent d'une grande rigueur architecturale, presque une rigueur morale, étaient alors couverts de peintures, enrichis d'ors, miroitant de lumières. Saint Bernard prêche donc, et notamment dans le *Traité de l'amour de Dieu*, le retour à une communion plus grande entre le moine et Dieu.

A la fin du XIIᵉ siècle, Clairvaux compte trois cent quarante-trois monastères, pour la plupart établis en des lieux écartés; les moines joueront d'ailleurs un rôle important dans la mise en valeur des zones forestières.

Au mont Saint-Michel, la réforme cistercienne inspire l'œuvre de redressement qu'entreprend Bernard du Bec, abbé de 1131 à 1149, sans pour autant modifier les coutumes fondamentales de l'abbaye.

Car les bénédictins n'en seront jamais tout à fait quittes avec les tentations du temporel. C'est contre ces moines qu'il voyait trop gras que saint François d'Assise crée au début du XIIIᵉ siècle l'ordre des franciscains, frères «mineurs», ordre mendiant à l'imitation du Christ.

Tous ces ordres, à des titres divers, animent la vie intellectuelle du Moyen Age. Si les laïques écrivent souvent en langue vulgaire, eux maintiennent une tradition classique qui fait du latin, pour de longs siècles encore, la langue du savoir.

S aint Bernard s'insurge contre la tendance des enlumineurs à enrichir les manuscrits de fantasmagories grimaçantes : «Que signifie dans nos cloîtres, là où les religieux font leurs lectures, ces monstres ridicules, ces horribles beautés et ces viles horreurs?... On préfère regarder ces dessins plutôt que de lire dans des manuscrits, et passer le jour à les admirer plutôt qu'à méditer la loi de Dieu.»

D ans le *Traité de l'amour de Dieu*, il expose l'idéal de la vie monastique : «Quand est-ce que l'homme fera cette expérience de s'enivrer d'amour divin, de s'oublier lui-même, de ne plus se tenir que pour un vase mis au rebut?»

Avec l'appui des ducs normands, des abbés italiens introduisent au Mont une réforme bourguignonne

Les ducs sont à présent certains de garder le Mont en Normandie : dès 966 et l'installation, sous l'abbé Mainard, de douze bénédictins de Saint-Wandrille, Richard Iᵉʳ place le Mont sous son égide. Symboliquement c'est au Mont que Richard II épouse Judith de Bretagne.

En 1007 arrive Guillaume de Volpiano. Il est le premier d'une lignée d'abbés lombards qui s'établiront au Mont : déjà on sent en Italie du Nord les premiers frémissements de cette fièvre intellectuelle qui culminera au Quattrocento. Les échanges Normandie-Italie sont bientôt intenses; Guiscard d'Hauteville, en cette première moitié du XIᵉ siècle, conquiert Naples et la Sicile, et y apporte l'art roman qui fait florès dans sa province.

Au Mont les constructions vont bon train. En 1023, l'abbé Hildebert II commence l'église romane, en construisant la crypte du chevet. Car ce qui manque aux bâtisseurs, c'est une surface plane. Pour que tout tienne sur l'étroite bosse du rocher primitif, les voilà contraints d'imaginer une grande plate-forme, qu'il faut bien faire porter sur du plein, plutôt que sur du vide...

S ur un rocher au faîte à peine arrondi, on ne pouvait bâtir qu'une église de petites dimensions - l'actuelle Notre-Dame-sous-Terre. C'est la silhouette du mont au Xᵉ siècle. Sur cette base s'organisent les nouvelles constructions; le Mont du XIᵉ siècle (à droite) porte déjà l'église romane...

Les abbés Théodoric et Suppo, pour soutenir les bras du futur transept, bâtissent les cryptes latérales (Saint-Martin au sud, Notre-Dame-des-Trente-Cierges au nord). En 1048, Raoul de Beaumont édifie les quatre piliers maîtres de la croisée du transept. Et en 1060, c'est en s'appuyant, à l'ouest, sur l'église préromane, Notre-Dame-sous-Terre, transformée à son tour en crypte, que Ranulphe de Bayeux commence la nef.

Tout isolé qu'il semble, le Mont n'est pas exempt d'interférences entre vie religieuse et intérêts laïques

Dès le XIᵉ siècle, les pèlerinages amènent au Mont des foules considérables, génératrices d'une agitation peu compatible avec la stricte règle monacale. Guillaume de Volpiano ou Bernard du Bec auront beau exiger un respect absolu de la règle, le Mont doit composer avec le monde. Au point que Bernard doit parfois obliger les moines à partir en retraite au prieuré de Tombelaine.

Le Mont devient un grand centre intellectuel, et fournit même des évêques à la communauté chrétienne. La promotion des moines s'accompagne d'une intense activité intellectuelle : copie de manuscrits anciens, acquisition de nouveautés pour la bibliothèque.

I l faut imaginer l'ampleur de ces travaux : aller arracher, aux îles Chausey, des blocs de granit, les transporter sur des bateaux plats jusqu'au Mont, au rythme des marées; là, les tailleurs de pierre façonnent les blocs définitifs, et y sculptent leur signe, qui leur vaudra salaire, et qu'on peut toujours lire sur les pierres du Mont; enfin, il faut acheminer ces lourdes masses au sommet.

L'abbaye, havre de grâce, n'est pas pour autant un havre de paix. L'histoire du Mont regorge de conflits entre les moines et leurs abbés. Souvent accueillis avec soulagement, ces grands seigneurs ecclésiastiques se font parfois détester par leur faste (Suppo, expulsé en 1048) ou par leur morgue (Richard de Mère, exilé à Saint-Pancrace de Cluny).

De cette instabilité on a cherché des causes dans les réalités géographiques de l'abbaye. Tels abbés prêchant la rigueur ascétique furent parfois mal vus dans un lieu où la vie est naturellement rude, d'orages en brouillards, de rampes en escaliers... Mais on a pu y voir également le signe d'une rivalité entre les abbés de Haute-Normandie, venus de Fécamp, et ceux de l'Avranchin.

Parallèlement aux conflits internes, le pouvoir extérieur de l'abbé ne cesse de s'amplifier. L'évêque Maugis lui accorde tous pouvoirs spirituels et, à partir de 1061, l'abbé chargé de l'archidiaconat étend son autorité administrative sur un vaste domaine. Il devient gestionnaire, et parfois gestionnaire féroce : Bernard du Bec excommunie Pierre de Saint-Hilaire, seigneur féodal dont les ambitions empiétaient sur le territoire de l'abbaye.

Ce territoire s'est constitué au fil des années, autour du «noyau dur» octroyé par les premiers ducs. De dotations en donations, l'abbaye devient une vraie seigneurie. Les

C'est avec l'installation d'une communauté bénédictine en 966 que commence véritablement l'activité du scriptorium, qui s'achèvera vers la fin du XIIᵉ siècle (témoins, ces manuscrits enluminés au Mont). A cette époque, en effet, les besoins immédiats du monastère sont assurés; par ailleurs, se mettent en place, dans les grands centres universitaires (et d'abord Paris), des ateliers de professionnels de la copie et de l'enluminure, dont les productions vont très vite supplanter celles des artisans isolés.

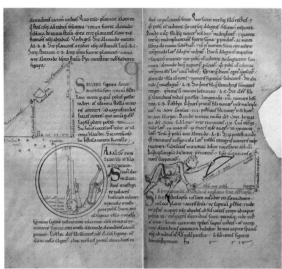

dynasties nouvelles sont ainsi en quête de nécropoles où enfoncer leurs racines : pour être enterré dans l'abbaye, Geoffroy, le duc de Bretagne, offre deux seigneuries. Pour mieux marquer son mariage avec Judith, Richard II offre au Mont l'abbaye de Saint-Pair avec ses dépendances. Les signes de la piété se confondent, pour les seigneurs, avec les signes du pouvoir.

Au plus fort de sa gloire, l'abbaye contrôle un vaste territoire, géré directement (réserve seigneuriale), ou confié à des intermédiaires : le tenancier verse alors un cens ou un champart, impôts annuels. L'abbaye lève de surcroît la dîme, et reçoit les bénéfices de certains usages, comme le droit de pacage sur ses terres. Certains domaines enfin sont confiés en fiefs à des chevaliers vassaux de l'abbé. Est-il si étonnant qu'à la Révolution les paysans aient brûlé les précieuses chartes qui les liaient à l'abbaye ?

Où l'abbaye, lieu féodal, tend naturellement à devenir un lieu guerrier

Sur la tapisserie de Bayeux, la reine Mathilde fait figurer le Mont. Après la bataille de Hastings

...RVNT:ADMON TE MICHAELIS   ET HIC:TRANSI...
                                                              HIC

et la conquête définitive de l'Angleterre
par Guillaume, l'abbaye, qui a appuyé le duc de six
navires, envoie quatre de ses moines gérer des
abbayes anglaises. Et à l'extrême pointe de
l'Angleterre, Saint-Michel de Cornouailles est
donné au Mont, dont il devient un prieuré.

A la mort de Guillaume, ses fils se disputent
l'héritage : c'est tout naturellement du Mont
qu'Henri Ier Beauclerc repousse les assauts de ses
deux frères.

Pendant ce temps, au Mont, la nature secoue
durement les moines. En 1103 le côté nord de la
nef de l'abbatiale, à peine terminé, s'effondre sur
les constructions conventuelles; en 1112 la foudre
déclenche un gigantesque incendie qui ravage le
Mont. Dans les dix ans qui suivent, l'abbé
Roger II reconstruit, Bernard du Bec complète et, de
1154 à 1186, Robert de Torigni achève.

Ce que c'était qu'un grand abbé au XIIe siècle

Sur l'esplanade qui, à l'ouest, sert maintenant de
parvis à l'église abbatiale, on peut voir, depuis les
travaux de la fin du XIXe siècle, ces mots
gravés sur une longue dalle : *Hic requiescit*

C'est en 1066 que
Guillaume le
Conquérant part
conquérir l'Angleterre
que son cousin
Edouard le Confesseur
lui a laissée en
héritage. Sa femme
Mathilde a représenté,
sur sa «tapisserie de
Bayeux», le mont
Saint-Michel où les
troupes normandes
allèrent chercher une
caution divine avant
de passer la Manche.

Robertus de Torigneio abbas (Ici repose l'abbé Robert de Torigni).

Quand Robert arrive à l'abbaye, Henri II est duc de Normandie et roi d'Angleterre, et, depuis son mariage avec Aliénor d'Aquitaine, comte de tout le Sud-Ouest et d'une bonne partie du centre de la France. Ce qui sera l'un des germes de la guerre de Cent Ans en fait alors le plus puissant souverain d'Europe : Henri, incontesté, fait régner la paix sur ses domaines. Le Mont va savoir en profiter.

Robert de Torigni a eu l'adresse de rédiger une *Histoire d'Henri Ier*, grand-père du souverain : c'était donner des gages à un roi naturellement porté sur le soupçon. Autrefois prieur de l'abbaye du Bec, Robert y avait reçu le dauphin, alors fort contesté, avec une courtoisie exemplaire.

Intellectuel, Robert est un homme d'action. D'abord, comme habile courtisan. Puis, élu, il se fait reconnaître par toutes les autorités, du roi aux évêques. Administrateur avisé, il commence par faire le tour de ses domaines. A une époque où le seul «média» populaire est la tradition orale, il impose ainsi dès le départ une image d'homme de bien et de gestionnaire avisé, jusque dans les possessions anglaises du Mont.

La puissance d'un abbé se mesure à l'aune de la puissance de ses hôtes. Au Mont, Robert reçoit son duc, qui y revient plus tard avec Louis VII, roi de France et premier époux d'Aliénor, qu'il avait eu la légèreté politique de répudier. Dans leur suite, deux futurs papes, un archevêque, un évêque, un abbé. L'excellence des relations entre Torigni

L a pierre tombale de Robert de Torigni était primitivement adossée à la façade ouest de l'église. Mais après l'ultime écroulement du premier tiers de la nef romane, au XVIIIe siècle, les moines mauristes, trop pauvres pour restituer au sanctuaire sa splendeur primitive, ont choisi de reconstruire une façade sur les arêtes de la cassure, laissant aux quatre vents, sur le parvis, la tombe du plus illustre abbé du Mont. L'épitaphe de l'abbé est un disque de plomb, posé entre la tête et la paroi interne du cercueil : la main de l'évêque bénit, au centre de la croix, entre l'Alpha et l'Oméga qui définissent Dieu.

L ointaine réplique du mont Saint-Michel, le Saint-Michael's Mount, en Cornouailles, avait été placé sous l'autorité de l'abbé du Mont.

Point n'était besoin d'être savant pour être un bon copiste, et certains enlumineurs ne savaient pas lire les manuscrits sur lesquels ils travaillaient. Il ne faut pas pour autant généraliser abusivement : au Mont, l'activité purement intellectuelle est intense. La *Chronique de Sigebert de Gembloux*, dans la seconde moitié du XIIe siècle, met en scène, à travers ses lettrines historiées, sa propre fabrication : ici, Sigebert dicte à un moine copiste le manuscrit que la lettrine illustre. A l'arrière-plan, le matériel du copiste, rouleaux de parchemin et encres de couleurs.

et le roi se vérifie en 1175 lorsque, pour appuyer une foule de revendications administratives sur le détail desquelles il se battait depuis vingt ans, l'abbé obtient une charte royale confirmant toutes les donations faites à l'abbaye.

Au Mont même, le nombre de moines double, de trente à soixante : on est loin des abbés du XIIIe ou du XIVe siècle qui devront partir vers la capitale pour tenter d'assurer un recrutement vacillant.

Enfin, Robert de Torigni est un écrivain prolixe. A côté de traités sur les monastères normands, sur les abbés du Mont ou sur Henri II, parallèlement à ses commentaires sur Pline l'Ancien, saint Augustin ou Sigebert de Gembloux - on a là, en raccourci, la triade de la culture médiévale : un classique latin, un père de l'église, un historien contemporain -, l'abbé de Torigni se rend célèbre par son *Historia Montis Michaelis* et sa *Chronica Roberti*.

Sous son impulsion, une grande activité intellectuelle se manifeste au Mont. Si les chroniques sont en latin, Guillaume de Saint-Pair rédige en langue vulgaire, et en vers, son *Roman du mont Saint-Michel*. L'abbé écrit pour l'édification des clercs, le moine chante à l'intention de ceux, noblesse ou peuple, qui viennent en pèlerinage au Mont et en repartent, exportant au loin cette «chanson» de la geste du saint Archange et du mont «au péril de la mer». Car ce qualificatif, né au XIᵉ siècle - *In periculo maris monte ecclesia posita est* - s'impose définitivement.

Petite digression pour poser les principes distincts de l'art roman et du gothique

«N'as-tu pas observé, en te promenant dans cette ville, que d'entre les édifices dont elle est peuplée, les uns sont muets; les autres parlent; d'autres enfin, qui sont les plus rares, chantent?» interroge Paul Valéry dans *Eupalinos*.

Les grandes nefs romanes du XIᵉ chantent tout autant que les grands vaisseaux gothiques du XIIIᵉ siècle. Pourtant, des unes aux autres, les significations symboliques et, partant, les structures rythmiques changent du tout au tout.

Les constructions mérovingiennes, et encore certaines églises carolingiennes (ainsi au Mont, Notre-Dame-sous-Terre), conservent dans leur structure un souvenir des grandes peurs, persécutions romaines ou déluges barbares, qui poussaient les chrétiens à s'abriter dans des catacombes : ce sont avant tout des abris.

De même, l'art roman - le terme ne se fixe qu'au XIXᵉ siècle, par référence à la langue médiévale - naît dans une époque où les communautés, esseulées au milieu des profondes forêts qui couvrent le royaume, ont besoin de protection : l'architecture romane se veut protectrice, rassurante. Ses églises, toujours

Ce manuscrit du *Contra Faustum* de saint Augustin date du milieu du XIᵉ siècle. On y voit le Père de l'Eglise dans une grande scène de *Disputatio* (controverse dialectique sur un point de doctrine, l'un des exercices classiques de l'enseignement médiéval) avec Faustus le Manichéen - la sainteté contre l'hérésie -, pour le plus grand bénéfice des élèves auditeurs partisans de l'un et l'autre champion.

G. Bouet 1843

conçues selon une même structure pyramidale où toutes les lignes et tous les regards convergent vers un même point, sont les églises du dieu biblique, paternel mais inquiétant. Quand ils labourent un jour férié, les Normands disent qu'ils prient avec les bras. Bien des «prières» furent nécessaires pour élever ces «châteaux de Dieu», selon l'expression usuelle. Et cela à une vitesse qui aujourd'hui encore serait phénoménale. Et partout à la fois. Un chroniqueur aquitain, Raoul le Glabre, évoque cette *candida ecclesiarum vestis*, cette «blanche robe d'églises» qui recouvre alors la France, et l'Europe. Jusque dans les lieux les plus reculés, les clochers imposent l'homme et son dieu au paysage.

Car des clochers de pierre sont à présent nécessaires pour résister aux vibrations des grandes cloches pivotantes, qui remplacent les clochettes frappées d'un gong dans des clochers de bois. Sans métaphore cette fois, l'art roman met des voix au-dessus des forêts et des grèves.

La différence de roman à gothique tient

L'église abbatiale romane (à gauche) repose sur trois cryptes (crypte du chœur, chapelles Saint-Martin et Notre-Dame-des-Trente-Cierges) formant une croix qui correspond au plan traditionnel : chœur à chevet semi-circulaire, transept aux deux bras saillants, longue nef. L'orientation est-ouest, conforme à la tradition rituelle, est favorisée par la forme même du rocher. La salle des gros piliers (ci-dessus à droite) constitue le soubassement de l'église. Elle a été réaménagée au moment de la construction du choeur gothique. A gauche, la salle de l'Aquilon, construite vers 1100.

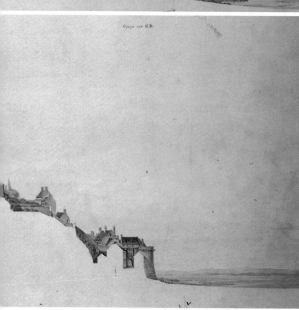

❝ Derrière lui se dressait, énorme triangle noir, avec sa tiare de cathédrale et sa cuirasse de forteresse, avec ses deux grosses tours du levant, l'une ronde, l'autre carrée, qui aident la montagne à porter le poids de l'église et du village, le mont Saint-Michel, qui est à l'océan ce que Chéops est au désert. ❞
Victor Hugo,
Quatre Vingt Treize.

Cette pyramide symbolise bien la conception ternaire et trinitaire du monde. Mais elle a présenté de nombreux inconvénients durant la construction. Cet étagement (dont les deux coupes ci–contre, ouest–est en haut et nord–sud en bas, donnent une bonne idée sans rendre compte cependant de son extrême complexité) explique le coût très élevé des travaux, et les très nombreux effondrements, du XIe au XIXe siècle : début XIIe, tout le côté nord de la nef s'écroule; en 1421, c'est la chute du chœur roman; enfin au XIXe siècle, l'hôtellerie de Robert de Torigni disparaît à son tour.

paradoxalement moins aux choix architecturaux qu'au sens du message. De la fin du XIe à la moitié du XIIe s'impose la technique de la croisée d'ogive, longtemps attribuée sans preuve à Guillaume de Sens, mais réalisée par des maçons anglo-normands dès 1095-1098. A partir de cette idée qui consiste à laisser le coffrage de la voûte, des Français inventent l'arc-boutant. A partir de 1122, l'évêque Suger utilise cette nouvelle forme dans la construction de la basilique de Saint-Denis, première manifestation du gothique. Et sur le fronton, Suger fait écrire que Dieu est lumière : on est passé à une vision plus sereine, à proprement parler évangélique, de la divinité. Au Mont, la salle de l'Aquilon et le promenoir des moines sont exemplaires des deux techniques : voûtes d'arêtes pour la

Le pape, à la demande de l'abbé Guillaume d'Estouteville, a accordé une «indulgence plénière» (rémission de tous les péchés) aux pèlerins qui viendront au Mont et participeront par leurs dons aux travaux de réfection du chœur roman écroulé. En 1450, la reconstruction commence par la crypte : on habille les piliers romans, et les dix nouveaux «gros piliers» ainsi réalisés deviennent la base de l'ensemble : à partir de 1460, les constructions des piliers, du déambulatoire et des chapelles rayonnantes se succèdent. Sans doute par manque d'argent, le chantier est longtemps arrêté. Ce n'est qu'en 1521 que l'abbé Jean de Lamps fait achever le chœur, et que les derniers pinacles sont dressés : toute cette dentelle de granit assure la solidité de l'ensemble. Quatre-vingts ans de travaux, mais une constante unité de style, dans le plus pur gothique flamboyant. Il était temps : cette même année 1521, Giorgio Vasari invente l'épithète *gothique*, qu'il charge d'un sens méprisant, en homme de la Renaissance que choquent les survivances médiévales.

première, construite par Roger II; voûtes d'ogive, encore maladroites, pour le second. A la fin du Moyen Age, lorsque l'on construira le chœur gothique, la maîtrise des sructures sera parfaitement aboutie. L'église abbatiale exhibe ses arcs-boutants, indispensables à son soutènement mais traités, dans leur détail, avec la gratuité apparente d'une forêt de pierre. Tout ce qui semble fioritures, dentelles de granit, confusion ordonnée où la pierre est si ordonnée qu'elle met davantage en valeur le vide que la matière, tout participe d'un calcul précis. Ainsi, au sommet de l'église abbatiale, les pinacles du chevet, ciselures de pierre, flammes figées de ce gothique flamboyant, ne sont que la conséquence ultime, la solution architecturale des dix piles cylindriques des «gros piliers» qui, dans la crypte, quarante mètres plus bas, soutiennent l'ensemble de la structure du chœur.

Le politique s'obstine à la porte du Mont, et finit par la forcer

En Angleterre, après la mort de Richard Cœur de Lion les héritiers s'entre-tuent et en France,

Le scriptorium, salle de travail des moines, est faussement appelé salle des Chevaliers. Dans la réalité historique, du temps de l'abbaye, jamais un chevalier, jamais un laïc n'ont pénétré dans ce lieu strictement réservé aux religieux. Quand, au XIXe siècle, les illustrateurs se sont intéressés au Mont, ils ont tout naturellement installé des chevaliers, des hommes d'armes et des chiens dans cette salle où ils auraient dû représenter des moines penchés sur leurs manuscrits.

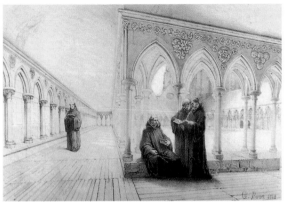

La construction du cloître (1225-1228) était, plus qu'une gageure, une provocation : il ne faut pas oublier que le bâtiment de la Merveille ne porte pas sur le rocher, mais sur des soubassements artificiels destinés à rattraper la forte pente. Il faut donc, tout en haut, construire léger : fines colonnettes portant des arcades en pierre de Caen, voûte en bois. La stabilité est assurée par la disposition en quinconce : la double rangée de colonnettes décalées forme une succession de trépieds ; cette multiplication des points d'appui conduit à une répartition régulière des charges sur les voûtes du scriptorium, juste au-dessous. Symboliquement, le cloître est l'endroit où le monastère, en se refermant sur lui-même, ne s'ouvre plus que sur le ciel. Autour des galeries du cloître se distribue la totalité de l'espace monacal : l'église, le réfectoire, le dortoir, le chartrier, et - non construite - la salle capitulaire.

Philippe-Auguste en profite pour annexer la Normandie. Son allié breton Guy de Thouars assiège le Mont. Même si la mer et l'obstination des moines le repoussent, le Mont tombe dans l'escarcelle de ce grand prédateur de roi qui, habilement, subventionne les reconstructions. Voilà pour l'ordinaire. Et fonde à Paris la confrérie de Saint-Michel-de-la-Mer, en la chapelle Saint-Michel-du-Palais. Voilà pour la foi.

Dès lors, les rois viennent régulièrement au Mont : de Saint Louis à Philippe le Bel, tous invoquent la protection de l'Archange qui les authentifie chefs des milices terrestres. Jusqu'en 1328 les rois capétiens maintiennent ce rituel. Ils arrivent les mains pleines d'offrandes : Saint Louis, le roi très chrétien, offre un sac d'or, qui servira à étayer les fortifications ; Philippe le Bel, le roi très barbare, apporte deux épines de la couronne du Christ et un morceau de la vraie croix. Plus 1200 ducats. Dans cet afflux d'or, les moines trouvent, dès le début du XIIIe siècle, de quoi construire la Merveille.

Paradoxe : l'élaboration de la Merveille coïncide avec le début du déclin

Les styles architecturaux, au Moyen Age, se superposent sans scandale. Au Mont le gothique croise donc le roman, et plusieurs types de

gothiques se succèdent pendant trois siècles sans se concurrencer.

Après l'incendie de 1204, l'abbé Raoul des Isles élabore la Merveille, achevée en 1238. Cette Merveille est la représentation plastique des trois ordres de la société médiévale. En bas l'aumônerie, où l'on reçoit les pauvres; au-dessus, la salle des Hôtes, où l'on entend encore, dans les énormes cheminées, ronfler les brasiers auxquels se réchauffaient les visiteurs de marque; là seront reçus les rois de France qui vont du Mont faire leur habitude. Enfin, le réfectoire et le cloître, domaines réservés des moines.

Le cellier est rattaché au domaine monacal, mais communique avec les lieux d'accueil : la symbolique se combine ainsi avec la rationalité. Enfin il est remarquable que le réfectoire et le cloître soient dans le prolongement l'un de l'autre, sur un même axe est-ouest : à l'heure du dîner, le soleil couchant passe à travers les colonnettes de poudingue pourpré du cloître et inonde de feux ultimes la longue théorie de moines attablés.

L'ensemble de la Merveille, long comme l'église, comporte trois niveaux. A l'étage inférieur, de gauche à droite, l'aumônerie et le cellier; au milieu, la salle des Hôtes et le scriptorium (ou salle des Chevaliers), reconnaissable à ses ouvertures circulaires; au dernier étage, le réfectoire, avec ses étroites fenêtres, et le toit du cloître. A gauche, la tour des Corbins abrite l'escalier qui dessert l'ensemble.

E ntre le XIVᵉ et le XVᵉ siècle s'opèrent, au Mont comme partout en France, de grandes mutations. Si le Moyen Age vivait le Temps sur le mode de l'éternité, l'Histoire fait, avec le début de la guerre de Cent Ans, une entrée fracassante dans le domaine du spirituel. Le Mont, lieu de prière, devient lieu de tous les combats, et la foi bientôt s'y conjugue sur le mode politique.

CHAPITRE III

DES GUERRIERS, DES GEÔLIERS ET DES ARCHITECTES

E njeu territorial entre Français et Anglais, le Mont reste aussi pendant la guerre de Cent Ans fréquenté par les pèlerins. Ceux d'aujourd'hui entrent par le sud, mais il leur faut encore, ultime montée initiatique, passer vers l'est, du côté du soleil levant pour obliquer vers l'ouest après une pause à la Croix-de-Jérusalem, à mi-parcours.

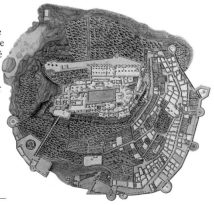

Tout au long de la guerre de Cent Ans, le temporel subjugue lentement le spirituel

Commençons par la fin : dans la seconde moitié du XVᵉ siècle, Louis XI, grand politique et pieux jusqu'à la superstition, vient quatre fois au Mont. En 1462, il fait visite pour la foi. En 1467, il s'occupe de fonder l'ordre de Saint-Michel ; et encore une fois la hiérarchie céleste justifie la hiérarchie terrestre. En 1472, le roi revient pour déposer au Mont l'une de ces cages de fer où il aimait à laisser pourrir ses adversaires politiques. Alors commence pour le monastère une vocation de Bastille des mers à laquelle cent ans de guerre, dont trente de siège, l'ont infailliblement préparé.

Retour en arrière : la guerre franco-anglaise sonne pour le Mont l'heure des reconversions. Et d'abord financières : les revenus des abbayes anglaises sises en Cornouailles et dans les îles Anglo-Normandes, et rattachées au Mont, rentrent de plus en plus difficilement, puis plus du tout à partir de 1337. Les revenus du terroir normand se font incertains : les soldats, les voleurs, et la peste noire qui ravage l'Europe à partir de 1348 prennent leur part sur les récoltes.

L'abbaye, en terre normande, ancienne province anglaise (stratégie et symbole, Edouard III débarque à Saint-Vaast-la-Hougue), balance entre les deux camps. Elle résiste aux Anglais qui se sont fortifiés à Tombelaine depuis 1356, et simultanément, en 1364, Geoffroy de Servon prête au monarque anglais serment de fidélité pour les possessions d'outre-Manche.

Le duc de Normandie, régent du royaume et futur Charles VI, promulgue en 1357 une ordonnance conférant à l'abbé le titre de capitaine du Mont. Par chance, il est à

L'antique lien de vassalité des seigneurs au roi s'était trop relâché, au gré de Louis XI. Pour restaurer une hiérarchie pyramidale entre sa noblesse et lui, il se réfère à la hiérarchie divine et crée tout naturellement un ordre de Saint-Michel, le 1er août 1469. Sur cette miniature de Jean Fouquet, le roi trône, entouré des premiers chevaliers de l'Ordre. Il rivalise ainsi avec le duc de Bourgogne, le rival haï qui avait créé l'ordre de la Toison d'or. Et les trente-six dignitaires deviennent les gardiens de la monarchie. La devise de l'Ordre évoque directement le Mont : «immensi tremor oceani», la terreur de l'immense océan.

Conservé à la Tour de Londres, ce dessin témoigne - avec une exagération certaine - de ce qu'ont pu être les fortifications anglaises à Tombelaine. Dans les quelques vestiges d'aujourd'hui, il est difficile de retrouver cette supposée grandeur passée.

Pontorson un autre capitaine, petit chevalier breton appelé à une grande gloire, Bertrand du Guesclin. Et c'est tout naturellement qu'il confie au Mont son épouse Tiphaine lorsqu'en 1366 il est chargé d'emmener hors de France les Grandes Compagnies qui la ravagent en la défendant. Pendant ce temps-là Tiphaine, installée vers le haut du Mont, demande un avenir aux astres.

Au lendemain d'Azincourt, l'abbé Robert Jolivet accélère les travaux de défense du Mont. Mais en 1419, il change de camp et même, en 1425, participe au siège. Mais malgré le lion qui soutient ses armes, il ne peut trouver de faille dans les défenses qu'il avait lui-même élaborées.

Où, quelques années avant d'aller susciter Jeanne d'Arc, l'Archange donne au Mont des vertus nationales

Le 25 octobre 1415, la guerre médiévale s'achève à Azincourt. La chevalerie française s'abîme dans un désastre obscur, et la modernité s'installe par la guerre. Toute la Normandie est occupée par les Anglais... Toute? Non, un mont peuplé d'irréductibles moines et de quelques soldats résiste encore et toujours à l'envahisseur...

L'abbé Robert Jolivet prépare la défense et fait construire les remparts, puis, en 1420, une grande citerne en prévision d'un siège. Il se soumet malgré tout au duc de Bedford, frère du roi Henri V. C'est à peine une trahison dans ce monde empreint de féodalité, où l'idée de nation n'en est qu'à ses ébauches. Il touche tout de même les douze deniers de son ralliement : il percevra désormais l'intégralité des revenus de l'abbaye, partagés usuellement, depuis l'abbé Pierre le Roi (1386), entre la communauté monastique et la mense abbatiale, réservée à l'abbé.

Spoliation, disent les moines. Et d'organiser la rébellion. Le Mont ne tombera jamais.

Les Anglais cependant, qui apprécient la situation stratégique exceptionnelle de la place, en font le siège obstinément à partir de 1424.

Garnison à Tombelaine, et blocus maritime, en vain : un coup de main des bandes bretonnes permet de ravitailler le Mont, pendant que les Malouins prennent d'assaut les vaisseaux ennemis. A partir de juin 1425, le siège s'éternise, d'une trêve à l'autre.

Louis d'Estouteville, nommé par Charles VII chef de la garnison, réorganise la défense. On en arrive même à fondre les objets précieux du sanctuaire pour frapper monnaie afin de payer les soldats. On relève les murailles, entamées par les bombardes anglaises installées à Ardevon, face au Mont.

Beaucoup plus loin à l'est, en Lorraine,

Le Mont, entre les travaux de Pierre le Roy (fin XIVᵉ siècle) et ceux de Du Puy (XVIᵉ siècle) est devenu une forteresse imprenable, que la mer défend de la terre, et que les grèves défendent des dangers venus de la mer.

NT SAINCT MICHEL

Par C. Chastillon

l'Archange apparaît à une bergère : «Je suis Michel, protecteur de la France, lève-toi et va au secours du roi de France.» Et ça marche. L'Archange est le dernier que Jeanne d'Arc invoque en brûlant à Rouen, en 1431. Dans les vingt années qui suivent, l'ennemi sera «bouté hors de France». «Dieu hait-il les Anglais?» avait demandé l'évêque Cauchon; et Jeanne de répondre : «De l'amour ou haine que Dieu a pour les Anglais, et ce qu'il fait de leurs âmes, je n'en sais rien; mais je sais bien qu'ils seront mis hors de France, sauf ceux qui y périront.»

Jeanne d'Arc et saint Michel, vedettes de l'art sulpicien, ont connu bien des avatars iconographiques, même dans le domaine de la «réclame». Tel produit, en utilisant l'image de la bergère animée par la force de l'Archange, prétend se parer de cette même force.

Il en périt au Mont, et en nombre, en 1434; date de l'ultime assaut. La ville, bâtie pour l'essentiel en bois, est aux trois quarts détruite, une brèche est faite aux murailles, l'assaut est donné, en vain. Les Montois prennent même à l'ennemi les deux bombardes, les «miquelettes» ou «michelettes», qui sont aujourd'hui à la porte de la ville.

VÉRITABLE EXTRAIT DE VIANDE LIEBIG

N. 1 A Domrémy. — Apparition de l'Ange de Saint Michel

En 1448, Charles VII rentre à Rouen. Au Mont, il faut relever les ruines : outre les murailles, abattues, le village, incendié, le chœur roman de l'église abbatiale s'est effondré en 1420. Le cardinal d'Estouteville, abbé du Mont nommé par le pape – et bientôt par le roi : c'est la commende abbatiale, qui permet d'octroyer les bénéfices de l'abbaye à un homme, souvent un séculier, qui n'y réside pas –, relève les ruines. Alors naît le chœur gothique.

À côté des grands pèlerinages, Jérusalem, Rome ou Compostelle, le Mont tient bien sa place. Très vite la beauté des édifices, élevés à la gloire de Dieu, attire les pèlerins, qui par leurs dons concourent à élever de nouveaux bâtiments toujours plus spectaculaires. La construction du chœur gothique, en une vingtaine d'années, est caractéristique de ces actes de foi.

De la signification du Mont comme lieu de pèlerinage

«Les petits gueux vont au mont Saint-Michel, et les grands à Saint-Jacques.» Même sans prendre ce proverbe au pied de la lettre, il faut reconnaître que jamais le Mont ne put concurrencer le sanctuaire de Compostelle.

Mais il ne le chercha pas : son sens était tout autre.

Il y a toujours eu des pèlerinages au Mont. Dans le haut Moyen Age, s'y rendent surtout des habitants du Nord et de l'Est, du Hainaut à la Bavière, où le culte de saint Michel avait un éclat particulier. A partir du XIVe et surtout du XVe siècle, tout change. L'Archange a soutenu le roi et, ce faisant, a contribué à créer une nation. On ne va pas au Mont seulement pour chercher une grâce, la rémission de ses péchés, la guérison de ses infirmités, mais aussi pour participer, confusément, à une idée qui s'appelle France.

Les chemins du pèlerinage montois, ou «chemins de Paradis», coïncident en grande partie avec d'anciennes voies romaines, tout au moins sur les parties carrossables. Car il n'est pas indispensable au pèlerin d'aller à pied, sauf expiation ou châtiment particuliers.

L'ultime rite de passage est, après la traversée des grèves, l'escalade même du Mont. Après des dizaines d'étapes d'une dizaine de lieues, l'escarpement du roc est comme une remontée au Calvaire. Enfin surgit l'église abbatiale qui, depuis sa reconstruction, inonde à nouveau de couleurs célestes les fidèles rassemblés. Quand on est trop malade pour achever le voyage, on est accueilli dans les «maladreries», ou les léproseries installées par les moines à l'entour de la baie, cordon sanitaire indispensable pour préserver une communauté groupée sur un espace si étroit.

On ramène du Mont des «enseignes», ou «plombs» de pèlerinage, médailles ou figurines de saint Michel, ou simplement des coquilles

Le pèlerinage du Mont est fréquenté dès Charlemagne, mais c'est à partir du XIIe siècle que les pèlerins se font plus nombreux, même si dans la France d'alors, il est bien dangereux de voyager : « Si tu vas au Mont, fais ton testament», disaient les Normands.

héritées de la tradition de Galice et répandues
dans tous les lieux de pèlerinage. On les
retrouve sur le blason de l'abbaye, à droite en entrant
dans l'église, «semis de coquilles de sable portant en
chef les lys de France». L'enseigne porte témoignage,
et offre la protection visible
de l'Archange, tout au long du retour.

   Les chroniques du Mont signalent enfin des
pèlerinages de pastouraux, bandes d'enfants
qui quittaient leur famille pour aller à l'Archange. Le
premier de ces pèlerinages est signalé en 1333.
Ils étaient exceptionnels toutefois, sans que l'on
sache très bien ce qui motivait ainsi ces enfants.
Cependant, ils allaient.

Où le Mont entre, très lentement, en agonie

La vie monastique a partout tendance à se
relâcher au XVIᵉ siècle : les humanistes et les
luthériens ont beau jeu de dénoncer les errances
des moines. Si la tradition de l'ecclésiastique
bon vivant est fort ancienne, et nombreux les
modèles du Frère Jean imaginé par Rabelais, on brode
maintenant sur les exemples italiens de Boccace, sur
les histoires de moines paillards.

   Au Mont, selon les chroniqueurs eux-mêmes
– ici, dom de Camps, dans son *Addition à
l'histoire de dom Huynes* –, «les lieux réguliers
étaient ouverts à toutes sortes de personnes,
hommes et femmes... L'office divin est presque
délaissé, n'y ayant que trois ou quatre pauvres
moines qui assistaient au chœur, les autres se
divertissant à la campagne, menant une vie
pour la plupart indigne même d'un simple
séculier.» Des «femmes» donc, et des chiens,
créatures impures entre toutes, mais fort
nécessaires à la chasse... Et c'est un
divertissement que l'on prise fort.

   Quarante moines au XIVᵉ siècle, vingt-cinq en
en1450, seize en 1622. Des abbés, point de nouvelles:
voici venu le temps de la commende royale. On
nomme abbé un favori qui touche les revenus en
restant à la cour. Et qui à son tour s'efforce de
transmettre ce bénéfice à un homme de son clan.

Un prélat de passage
au Mont en 1517
décrit ainsi l'activité
«touristique» : «Le
travail des Montois
consiste à colorier des
coquilles marines
qu'ils cousent sur des
bandes de toiles. De
même ils fabriquent
des saint-Michel en
argent et en étain. Et
de telles choses, il s'en
vend un grand nombre,
car il n'y a pas de
pèlerinqui n'en achète
pour aller, orné de
coquilles et de saint-
Michel et sonnant de
la cornepar toute sa
route,jusqu'à sa
patrie.»

Etat Actuel.

Et
Projet

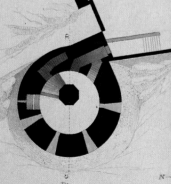

Face Ouest.

Coupe
suivant la ligne CD.

Plan
au niveau A.

Plan
au niveau B.

N

Projet de Restauration.

Face Ouest.

Coupe suivant la ligne CD.

Plan au Niveau E.

Plan au niveau A.

Plan au niveau B.

Paris, Octobre 1876.

Où le Mont se donne de véritables fortifications, et les teste contre les huguenots

Gabriel du Puy, lieutenant du roi, renforce singulièrement la défense de la cité en construisant d'abord l'énorme tour Gabriel, composée de trois étages de batteries, percée d'embrasures, qui contrôle une immense étendue de grèves, du nord au sud par l'ouest. Du Puy pense même à donner au parapet un profil talussé, destiné à diminuer les effets destructeurs des boulets ennemis.

C'est sur cette tour qu'on installera, au XVIIe siècle, un moulin à vent. Du Puy renforce ensuite la barbacane à l'entrée de la ville – on en était encore à attaquer les places par la porte – d'une avancée munie de bouches à feu. Enfin, vu les progrès de l'artillerie, on épaissit les remparts, et on rétrécit malgré l'augmentation du calibre, les ouvertures où seront installées les pièces en batterie. Et on modifie la disposition de ces ouvertures, soit en créant de nouvelles, soit en refaisant celles conçues par Louis d'Estouteville, de façon à mieux protéger les serveurs des pièces. Vauban, un siècle plus tard, admirera le travail de Gabriel du Puy, dont la cité va bientôt avoir l'usage.

1562 : les guerres de Religion ravagent la France. Quand on n'est pas protestant par conviction, on l'est parfois par intérêt : Montgomery se convertit par dépit et ravage l'Avranchin. Les revenus des moines passent, à leur grand dam, dans des escarcelles calvinistes.

Neuf assauts sont lancés contre la forteresse, de 1577 à 1598. L'abbaye, bastion de la Ligue, née de la Contre-Réforme, tient bon.

La congrégation de Saint-Maur tente de reprendre en main une situation bien compromise

La Renaissance, si fertile ailleurs en floraisons superbes, a été pour bien des communautés religieuses une sorte de Bas-Empire romain. Quand avec les Bourbons s'opère un renouveau

L a tour Gabriel (ci-dessus et page précédente) est à sa base construite en talus, ce qui renforce la partie du mur la plus vulnérable au bélier ou à la sape et permet de faire ricocher les projectiles de l'assaillant. Les fortifications du Mont au XVe siècle sont d'une épaisseur moindre, car l'artillerie ne comptait alors pratiquement pas. Les bastions du XVIe siècle, en revanche, montrent la prépondérance du canon, aussi bien pour l'assaut que pour la défense.

du catholicisme, on nomme au Mont un abbé
de cinq ans. Et le pape Paul V signe sans sourciller
cette étrange installation, confiant dans le beau
nom de Lorraine et de Guise que porte l'enfant.

Qui prendra la succession des quelques moines,
ou trop âgés ou trop relâchés, qui subsistent
difficilement dans un mont Saint-Michel ruiné ?
La Congrégation de Saint-Maur s'y installe
finalement en 1622.

La foi est relevée, mais point
les murailles, faute d'argent. De
même, lorsqu'au XVIIIᵉ siècle les
premières travées de la nef
s'effondrent, on ne les relève pas :
on déblaie et on dresse une belle
façade classique, qui tranche dans
ce décor mi-roman mi-gothique,
un mot qui à l'époque signifie
barbare. Les mauristes installent
leur dortoir dans l'ancien
réfectoire.

Avec les maigres ressources
de l'abbaye ils s'efforcent de
secourir les prisonniers politiques
enfermés dans la «cage de fer»
ou, plus prosaïquement, dans des
cachots fort humides; en tout,
cent quarante-sept personnes de 1685 à 1789 sont
emprisonnées là par lettres de cachet :
pamphlétaires, jansénistes, ou fils de famille
dilapidateurs.

On ne dit pas prison : les lieux où ils sont
incarcérés s'appellent les Exils.

**Où l'on évoque les conditions de vie des
prisonniers ordinaires... et extraordinaires**

Du XVIᵉ au XVIIIᵉ siècle la cage de fer est fort
utilisée. François Iᵉʳ y fait enfermer à jamais
en 1535 un théologien de la Sorbonne, Noël Béda,
qui, fort d'avoir fait brûler quelques humanistes,
au propre comme au figuré, s'était permis de
critiquer la politique étrangère du roi : il meurt
dans la cage deux ans plus tard.

L a cage de fer
installée par Louis
XI – mais inventée par
le cardinal La Balue –
est un cube de 2,80
mètres d'arête,
composée de grosses
pièces de bois revêtues
de bandes de fer, assez
rapprochées pour qu'on
puisse à peine passer la
main entre les
barreaux. La cage,
suspendue par des
crampons de fer scellés
dans la voûte, se
balance au moindre
mouvement du
prisonnier.

O C E A N

sous le Nom de

MANCHE OU CANAL

l'Abbaye

le Château

Isle Tombelaine

le Rocher

la Ville

GREVES ET BAYE DU MONT

BRETAGNE

la Metairie

Isle, Rocher, Ville, château et Abbaye
du
MONT - ST MICHEL
Situé aux confins de Normandie et de Bretagne.

Renvoy
1. Première Porte de la Ville.
2. Corps de Garde.
3. Seconde porte de la Ville a Pont-levis
4. Eglise Paroissiale de la Ville.
5. Second Corps de Garde
6. Galerie appellée le Saut-Gautier
7. Lanterne du Dome.

Par N. de Fer
Sur les Memoires de Mr de la Salle

A PARIS
avec privilege du Roy
1705.

Le Mont et ses dépendances

P our des individus dépendant de la Nature, elle-même gérée par Dieu, le Mont est une façon de remodeler la terre, au-dessus des eaux, à l'assaut du ciel. La *Revelatio*, au IXᵉ siècle, expliquait que l'église fut construite «pour montrer, à l'évidence, qu'il faut sans cesse demander dans les cieux l'aide divine, et pénétrer par le regard de la contemplation les astres célestes, non pas rouler son cœur dans les fanges de la terre». L'homme, bâti de boue (*adama*, en hébreu) s'efforce de remonter au Ciel pendant que le serpent, l'ennemi des abîmes que l'Archange a défait, se vautre dans la fange. Terre défiant la mer, le Mont est dans la *Revelatio* comparé symboliquement à l'arche de Noé, surnageant sur les flots, transition dans la Bible entre les temps barbares noyés sous le déluge et les ères modernes, de spiritualité plus haute.

PLAN
DU MONT S.ᵗ ...
Par N. de ...
A PARIS.

Echelle.   Cinquante
Toises.

5.   10.   20.   30.   40.   50.

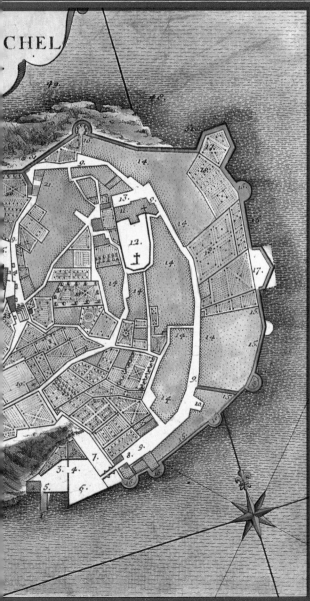

CHEL

Le Mont intra-muros

Le plan «aérien» du
mont Saint-Michel
montre à l'évidence les
disparités dans les
masses : le bloc
abbatial occupe
presque la moitié de
l'île, impitoyablement
enfermée par les
fortifications. Entre les
deux, le village même,
avec ses ruelles
infiniment étroites où
parfois on ne passe que
de profil. Verticalement
les trois ordres
du monde médiéval
étaient là réunis. La
noblesse aux remparts,
le clergé au sommet et,
comme le notera
Michelet dans son
journal, «vraie croix de
roc, et le peuple
crucifié est au pied».
Horizontalement enfin,
le Mont bénédictin
définit trois cercles : le
rocher, les grèves et,
sur les rives, le
domaine sur lequel
travaillaient les
paysans vassaux de
l'abbaye.

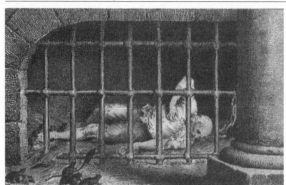

L e supplice de la cage est tel qu'il a donné naissance à quelques pures inventions remarquables de sauvagerie. On est allé jusqu'à raconter que le pamphlétaire Dubourg, enfermé là en 1745, y a été dévoré par les rats. La réalité, pour atroce qu'elle soit, est moins abominable : Dubourg meurt de folie l'année suivante.

Les premiers gardiens du Mont avaient été les moines eux-mêmes, puisque l'abbé disposait des pouvoirs judiciaires. Les chroniqueurs sont remarquablement discrets sur leur comportement de geôliers, probablement parce qu'ils n'étaient pas tendres pour les victimes de la justice abbatiale. En 1465, la prison passe sous contrôle militaire : la séparation des pouvoirs se concrétise.

Au XVIIe siècle un bénédictin, François de Chavigny de la Bretonnière, reste enfermé treize ans dans la cage pour un pamphlet lancé contre l'archevêque de Reims – frère du très puissant Louvois. On montrait encore les «ornements» qu'il avait gravés sur les barreaux de bois. On le libère en 1698 : plus aucune importance, il est devenu fou.

C'est sous le règne de Louis XVI que les enfants du duc d'Orléans viennent au Mont avec leur gouvernante, Mme de Genlis. Et décident de détruire ce symbole de la barbarie des anciens âges : «Pour y arriver, on était obligé de traverser des souterrains si obscurs qu'il fallait des flambeaux; et après avoir descendu beaucoup d'escaliers on parvenait à une affreuse cave où était l'abominable cage. J'y entrai avec un sentiment d'horreur... M. le duc de Chartres, avec une force au-dessus de son âge, donna le premier coup de hache... Je n'ai rien vu de plus attendrissant que les transports et les acclamations des prisonniers pendant cette exécution. C'était certainement la première fois que ces voûtes retentissaient de cris de joie.»

Preuve que la cage, quelle que fût la sollicitude des mauristes envers les prisonniers, était encore utilisée... Et Mme de Genlis de conclure : «Au milieu de tout ce tumulte, je fus frappée de la figure triste et consternée du suisse du château, qui considérait ce spectacle avec le plus grand chagrin. Je fis part de ma remarque au prieur, qui me dit que cet homme regrettait cette cage parce qu'il la faisait voir aux étrangers.»

❝ Autour de nous, partout à perte de vue, l'espace infini, l'horizon bleu de la mer, l'horizon vert de la terre, les nuages, l'air, la liberté, les oiseaux envolés à toutes ailes, les vaisseaux à toutes voiles; et puis, tout à coup, là, dans une crête de vieux mur, au-dessus de nos têtes, à travers une fenêtre grillée, la pâle figure d'un prisonnier. Jamais je n'ai senti plus vivement qu'ici les cruelles antithèses que l'homme fait parfois avec la nature. **❞**

Victor Hugo,
Lettre à Louise Bertin.

Plus doux apparemment le sort fait aux
«exilés» sur lettres de cachet pour raisons
familiales : les moines ont plus de latitude pour
veiller sur eux. Mais douceur relative : tel
détenu s'était brisé la tête, de désespoir; quand,
après le 14 juillet 1789, le prieur dom Ganat
libère l'ultime condamné, c'est un fou furieux;
on le serait à moins.

Le mont Saint-Michel, après avoir été le mont Tombe, devient le mont Libre, ce qui signifie qu'on y enferme beaucoup de gens

1789: prise de la Bastille. 1790 : les
révolutionnaires viennent occuper la «Bastille
des mers», transfèrent à Avranches, où ils sont
encore, les précieux manuscrits enluminés jadis
par les moines, et font du Mont une prison...
pour prêtres réfractaires à la nouvelle
constitution civile du clergé. Le tout au milieu
de l'Avranchin en flammes, dans l'interminable
guerre entre les «bleus» républicains et les
«blancs» royalistes.

Vient l'Empire, qui fait du Mont une prison
permanente à partir de 1811. Puis la
Restauration, qui joue ici la continuité et donne
au Mont le beau nom officiel de Maison de
force et de correction. Et ainsi pendant
quarante-sept ans; quatorze mille détenus
transitent par là, ou y meurent.

A partir de la
Révolution, la
«vocation» du Mont
comme lieu de
détention se précise.
On y enferme d'abord
les prêtres réfractaires
et les «Vendéens»
(ci-contre) hostiles
à la République, qui
échouent là après
la déroute de
leurs armées devant
Granville.

I l y aura au Mont jusqu'à 750 prisonniers, auxquels il faut bien donner du travail : les salles de la Merveille sont transformées en ateliers (travail de la paille, sabots, cordonnerie, tissage, filature...). Ainsi, le scriptorium ou salle des Chevaliers (ci-contre) abrite les travaux forcés des prisonniers au lieu des moines copistes d'autrefois. Il faut bien les loger : l'église est divisée dans sa hauteur par un plancher, et on y installe des grabats. Il faut enfin s'en méfier : tous les carrelages sont détruits et jetés, afin d'éviter qu'en cas de mutinerie les prisonniers aient sous la main des projectiles.

Pour loger ce beau monde on a «aménagé» l'abbaye. Dès l'Empire les grandes salles abbatiales sont subdivisées en ateliers de filature de coton : les hommes dans la salle des Chevaliers, les femmes dans le réfectoire des moines. Sous la Restauration, on divise en deux, dans sa hauteur, la nef romane, par des planchers de bois où l'on établit les dortoirs des détenus. Sur le pourtour du chœur on dresse des ateliers de cordonniers et de tisserands. Dans les chapelles, on confectionne des chapeaux de paille; la paille tressée devient une spécialité des prisonniers qui en font des ouvrages parfois remarquables. Matières bien combustibles que tout cela : en 1834 un immense incendie ravage l'intérieur de l'église abbatiale.

Toute prison veut des cachots : on en installe au Mont dans les anciennes constructions, à présent presque souterraines. Le socialiste Barbès y est enfermé en 1839, certains de ses compagnons y sont même enchaînés. Au passage, les gardiens leur frottent un peu durement les côtes.

Il arrive pourtant que l'on s'évade de cette forteresse. Un jeune peintre du nom de Colombat réussit une nuit à glisser le long de la muraille et gagne Jersey, l'exil traditionnel des réfugiés politiques.

Cette évasion explique la sévérité avec laquelle sont traités Barbès et ses amis, puis Blanqui et les siens en 1841. Hugo, de passage le 27 juin 1836, décrit à Louise Bertin «ce sinistre amas de cachots, de tours et de rochers qu'on appelle le mont Saint-Michel».

Il faut attendre octobre 1863 pour que, d'un décret, Napoléon III supprime cette prison centrale.

Où il s'en faut d'un étrésillon que le Mont ne soit voué aux ruines

Le XIXe siècle hésite, face aux monuments, entre deux attitudes. Si les romantiques ont le goût de l'étrange, du monstrueux, si Hugo est fort sensible à l'aspect «composite» du Mont, en revanche les gens installés officiellement à l'Administration des monuments historiques préfèrent les constructions entièrement fidèles à un style unique.

Ce qui explique l'attitude aujourd'hui étrange d'un homme comme Prosper Mérimée, puissant inspecteur des Monuments historiques, à qui l'on doit la sauvegarde de maint édifice médiéval trop souvent considéré jusqu'alors comme carrière de pierres taillées. Mérimée passe au Mont dans sa jeunesse, en retire une première impression d'étrangeté. Chargé plus tard d'une mission d'inspection, il écrit, le 25 juin 1841, au vice-président de la commission des Monuments historiques : «... je suis allé au mont Saint-Michel qui n'a pas bougé de

Colombat, peintre insurgé arrêté après les émeutes de 1832, est enfermé au Mont sur l'ordre de Louis-Philippe. En digne modèle du futur Edmond Dantès (le héros du *Comte de Monte-Cristo*), il creuse un trou dans la muraille et dissimule le déblai dans les latrines. Dans la nuit du 24 au 25 juin, la ronde vient de passer, le ciel est idéalement obscur. Le prisonnier achève de percer le mur, se laisse glisser le long d'une corde qu'on lui avait fait passer, dissimulée dans un pain. Aidé, à vrai dire, par la femme d'un autre prisonnier qui avait quelque peu soudoyé la sentinelle, il gagne l'île de Jersey.

place depuis au moins quinze ans que je l'avais vu. Mais l'église depuis l'incendie est devenue visible, en quoi elle gagne considérablement. Les pierres même ont acquis par le feu une teinte admirable. L'ornementation étant nulle n'a point souffert; mais il a fallu refaire en sous-œuvre deux piliers. Deux autres réclament la même opération, enfin le transept est étrésillonné depuis le haut jusqu'en bas, moyennant quoi il soutient la tour du télégraphe. Le chœur est demeuré intact. L'abbé Lecour voudrait bien que nous donnassions de l'argent pour refaire sa nef, mais si on la refait on y mettra aussitôt des cellules et nous aurons perdu notre argent. Nous ne sommes point chargés de loger M. Barbès et tutti quanti. Il m'était resté je ne sais quelle idée avantageuse de l'architecture gothique du mont Saint-Michel. Cette fois cela m'a paru horrible. Le granit n'est point destiné à faire des clochetons, et des «crosses», comme dit M. Leprévot, et la brume salée de l'ouest a déjà fait

" Au faîte de la pyramide, à la place où resplendissait la statue colossale dorée de l'Archange, on voit se tourmenter quatre bâtons noirs. C'est le télégraphe. Là où s'était posée une pensée du ciel, le misérable tortillement des affaires de ce monde! C'est triste. "

Victor Hugo

L es voyages romantiques et pittoresques dans l'ancienne France réalisés par le baron Taylor et par Nodier décrivent la France des années 1850. A gauche, la Porte et la Tour du Roy, au centre, la Merveille, à droite, la salle de l'Aquilon.

Viollet-le-Duc, un architecte en visite au Mont

❝ Nous voilà établis au mont Saint-Michel depuis hier matin. Nous avons un froid et un vent épouvantables comme au mois de mars. Malgré cela, vive le mont Saint-Michel! Rien n'est plus beau, rien n'est plus sauvage, rien n'est plus grandiose, rien n'est plus triste. Il faut voir ses tours de granit frappées par la mer, il faut entendre le vent qui, le soir, mugit dans les grands escaliers du château, le cri de l'hirondelle et le battement des fenêtres livrées à la tempête, pour se faire une idée de l'effet lugubre de cette masse de bâtiments, de ses effets variés, de son imposante majesté. Il faut en entrant ici quitter toute idée de notre civilisation, il faut, pour ainsi dire, s'identifier avec les monuments, avec cette immense tristesse qui semble ronger tout, pour bien comprendre ce qu'il y a de vraiment beau dans cet amas de pierres. ❞

Viollet-le-Duc,
30 mai 1835.

Le cloître, promenoir des prisonniers

Viollet-le-Duc passe en 1835 une semaine au mont Saint-Michel. Il n'a que vingt et un ans, mais ses aquarelles sont d'une exceptionnelle qualité, et les notes qu'il prend simultanément, d'une grande pertinence. Bien qu'il n'ait pas participé directement aux travaux, il encouragera toujours la restauration du Mont, qui ne commencera véritablement qu'en 1874, même si certaines réfections ont été accomplies dès 1863, au départ des prisonniers. Viollet passe au Mont au lendemain de l'incendie de 1834 : ce qu'il a sous les yeux est une vraie ruine, et il a bien du mérite à s'intéresser à cet ouvrage.

Un géant aux pieds de granit

L'abbatiale, de la base au sommet, est faite de granit. La salle des gros piliers (à gauche) sert de soubassement à la structure du chœur gothique qui s'achève, 40 mètres plus haut, par les arcs-boutants, les clochetons et l'escalier de «dentelle» sculptés dans le granit.

❞ Non, il nous est impossible à nous, hommes du XIXᵉ siècle, de comprendre tout ce qu'il y a de beau ici, à nous, habitués au confortable, aux petitesses de la civilisation, de sentir autour de nous sans éprouver un frisson involontaire ces longs remparts battus de tous côtés par la mer, ces murailles percées de petites fenêtres sans vitres, ces rochers qui semblent s'être endormis après d'affreuses convulsions, ces maisons inhabitées, sans toit, noircies par la fumée et le temps... Mais tout cela est véritablement si grand, inspire une tristesse si belle et si pleine de pensée, que l'on ne peut détacher ses yeux de ce colosse. ❞

Viollet-le-Duc,
30 mai 1835.

justice de toutes les moulures. Elles ressemblent à des morceaux de sucre imbibés d'eau.»

Il s'en faut alors de bien peu que le Mont ne soit jamais «classé», il ne le sera d'ailleurs que fort tardivement, en 1874.

Le travail d'analyse de Viollet-le-Duc y est sans doute pour beaucoup : malgré le style composite, le grand architecte qui a donné sa flèche à Notre-Dame et lancé le néo-gothique, admire fort le Mont, comme en témoigne la longue analyse qu'il lui consacre dans son *Dictionnaire d'architecture*.

Où l'on reconstruit une dernière fois le Mont, pierre à pierre, ce qui ne va pas toutefois sans heurts

Dès que le Mont est libéré de ses forçats, Mgr Bravard, évêque de Coutances, demande au gouvernement la permission d'y rétablir une présence religieuse.

Les pères missionnaires de Saint-Edme de Pontigny s'installent en 1867. Sept ans plus tard, la IIIe République classe le Mont monument historique. Il y a alors déjà deux ans que l'architecte Corroyer s'emploie à étudier ces pierres inaltérables où l'on peut lire la marque de l'artisan médiéval qui les tailla.

Corroyer s'occupe d'abord des urgences. On avait bien tenté de consolider l'édifice, après l'effondrement de l'hôtellerie de Robert de Torigni en 1718. C'était des travaux de soutènement, achevés en 1863, plus qu'une réelle restauration; l'architecte Doisnard avait, après l'incendie de 1834 et les énormes lézardes apparues vers 1837, étayé les arcs-boutants et rendu aux piliers du collatéral leur solidité, au

E ugène Viollet-le-Duc illustre ses lettres de petits croquis où il se représente traversant les grèves «au péril de la mer», avec son ami le graveur Léon Gaucherel. «Par un temps brumeux, le sac au dos et le pantalon retroussé jusqu'aux genoux, nous avons traversé, pieds nus, les deux lieues de grèves qui sont entre le mont Saint-Michel et Avranches…»

prix d'un beau massacre esthétique, mais on connaissait alors fort mal les principes de l'art roman : le XIXe siècle restaure selon sa vision, et crée en fait un nouvel état en croyant, de bonne foi, revenir à un état antérieur.

Enfin, camouflage plus que restauration, l'évêque de Coutances avait dissimulé sous un enduit imitant le granit les traces les plus flagrantes du dernier incendie, cachant du même coup les fêlures et les lézardes de la construction.

Corroyer, envoyé là pour réfléchir à l'intérêt de «classer» le Mont, se lance dans de grands travaux qu'il décrit lui-même ainsi : «Ces travaux ont eu pour objet la consolidation des parties les plus compromises de l'édifice; la construction d'un robuste contrefort à l'angle sud-ouest des bâtiments, afin d'arrêter leur écroulement menaçant; la reprise en sous-œuvre des piles, des murs, des voûtes de

❝ L'administration des Beaux-Arts ne dispose, pour les monuments historiques, que d'un crédit annuel de un million de francs. Or, il y a plus de 800 édifices classés, et environ une centaine de restaurations en cours d'exécution qui ont grand peine à se terminer faute de ressources suffisantes. Si, comme on le dit, et comme je le crois sans peine, la restauration du mont Saint-Michel doit coûter 2 millions et que l'Etat prenne 100 000 fr. par an sur le budget des Monuments historiques, il faudra vingt ans pour achever cette restauration au moins. Or, sur un budget ordinaire, l'Etat ne peut prendre des engagements à longs termes. Il faudrait donc demander aux chambres un crédit spécial. Je doute fort qu'il fût accordé. **❞**
Viollet-le-Duc,
16 août 1868.

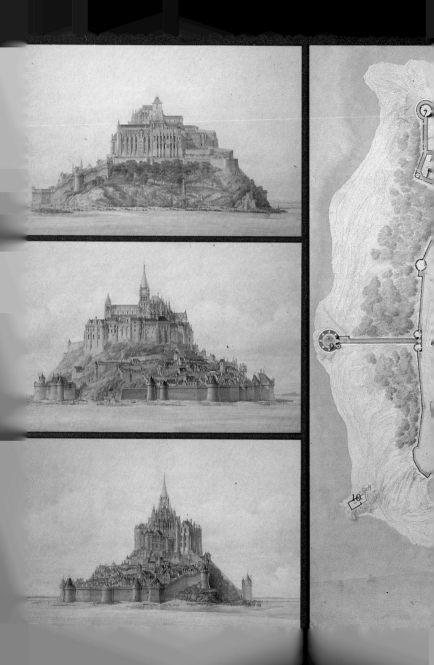

PLAN D'ENSEMBLE

Niveau de la 1ère marche de

Niveau moyen de

Rêves de flèches...

L'un des plans de restauration générale de Corroyer est présenté sur cette coupe datant de 1875. On y retrouve le projet de la tour romano-byzantine, qui devait rendre à l'ensemble un caractère pyramidal. Sur cette coupe de la face ouest, on reconnaît, à gauche, la Merveille avec le cellier, le scriptorium et le cloître. L'abbatiale, nef et bas-côtés romans, chœur gothique au fond et flèche rêvée par Corroyer; à droite, les logis abbatiaux. Il faut dire que le Mont se prêtait à tous les rêves d'architectes. Avant Corroyer, Gustave Doisnard, en 1848, avait, lui aussi sans succès, proposé «sa» flèche couronnée par l'Archange (élévation et coupe ci-dessus).

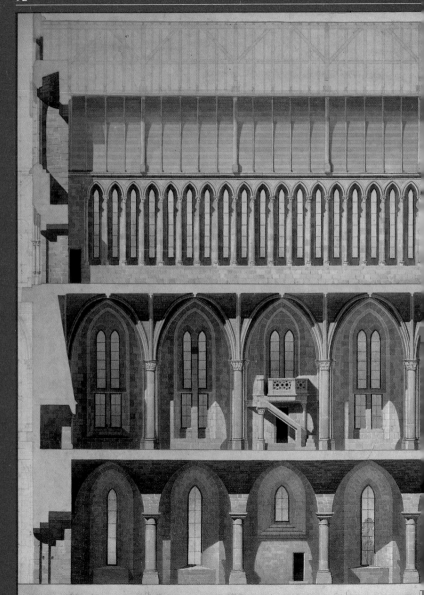

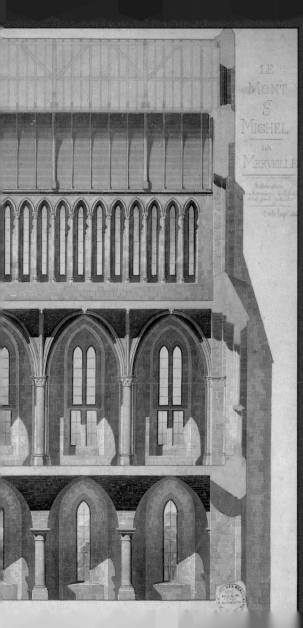

LE
MONT
S^T
MICHEL

LA

MERVEILLE

La Merveille

E mile Sagot, ancien inspecteur des Monuments historiques, passe vingt-trois ans au Mont, de 1862 à 1885. Cette coupe de l'«état actuel» de la partie est de la Merveille fait apparaître les trois salles superposées. Dans l'aumônerie, en bas, étaient accueillis les pauvres, les déchus de la vie, qui ont le plus urgent besoin d'être restaurés, réchauffés. L'architecture de cette «soupe populaire» est simple, efficace, rassurante : une longue salle de sept travées divisée en deux nefs par une rangée de colonnes. La salle des Hôtes, au milieu, recevait les visiteurs de marque. C'était la salle des festins, où les brasiers ronflaient dans les deux immenses cheminées. Les dimensions sont celles de l'aumônerie, mais le décor, tout de fines colonnes portant des croisées d'ogives diffère notablement. Le réfectoire des moines, au sommet de la Merveille, n'est coupé par aucune colonne : c'est un volume solennel, tout en verticalité, recouvert d'une voûte de bois.

substructions romanes et des constructions ajoutées à l'ouest par Robert de Torigni; la restauration du dallage fait à la fin du XVIIIᵉ siècle après la suppression des trois premières travées de la nef, et formant le sol de la grande plate-forme à l'ouest, devant la façade actuelle de l'église – ce dallage ancien était enfoui sous une couche de terre recouverte d'un enduit grossier laissant séjourner les eaux pluviales qui s'infiltraient dans les voûtes et les murs souterrains et leur causaient de graves dommages – la reprise en sous-œuvre de la base de l'hôtellerie ruinée, dont les murs lézardés pouvaient entraîner la destruction de la partie sud des soubassements romans et des bâtiments adjacents.

«La barbacane précédant la porte de la ville a été restaurée; son crénelage a été rétabli; sa porte a été réparée et sa poterne débouchée.»

Après ces urgences, Corroyer se lance dans la réfection de la Merveille, cloître et réfectoire.

L'architecte ne s'occuperait que des pierres que déjà cela n'irait pas sans mal. Restaurant les remparts, Corroyer a la prétention d'en chasser les Montois qui y avaient installé leurs pratiques, voire leurs logements. Restaurant le cloître, il a l'idée baroque d'en couvrir les galeries de tuiles vernissées, de couleur outremer, rouge et jaune. Tohu-bohu à la Chambre des députés, où l'on s'indigne de cet usage des fonds publics. Peut-être en effet y avait-il dans cet assemblage de couleurs primaires de quoi offenser l'œil le plus impavide.

L' aire intérieure du cloître est remise en état par Corroyer avec pentes et revers en dalles de granit, pour évacuer les eaux de pluie dans les gargouilles extérieures. Le jardin actuel du cloître ne sera planté que plus tard.

En vérité le cloître longtemps n'aura pas de chance : après le bariolage trichrome de Corroyer, Paul Gout en 1899 dispose là des tuiles rouges et noires qui hurlent plutôt qu'elles ne chantent, et il faut attendre Y. M. Froidevaux, en 1962, pour qu'un toit de schiste, à dominante verte, vienne se combiner heureusement avec le pourpre des colonnades.

Enfin vient la digue : Corroyer, qui toute sa vie ne l'appela jamais que le «remblai», est

L a restauration du cloître entreprise en 1877 amène Corroyer à refaire presque tous les fûts de colonnettes, à raccorder les sculptures des tympans, très endommagées, et à établir une charpente avec berceau lambrissé, recouverte de cette toiture en tuiles-écailles émaillées trichromes qui firent tant hurler.

farouchement contre, et contre les Montois, qui sont violemment pour. Et qui finissent par obtenir sinon la tête du moins la démission de l'architecte, remplacé en 1888 par Victor Petitgrand.

Corroyer était entré en conflit avec sa propre administration, qui refusait l'un après l'autre tous ses projets novateurs, principalement sa proposition

E n 1877, Corroyer avait, en quatre ans, dépensé 100 000 francs. Avec cette somme, il a pu construire un contrefort à l'angle sud-ouest, afin d'arrêter l'écroulement qui menaçait; reprendre en sous-œuvre les piles, les murs, les voûtes des substructions romanes, et des constructions ajoutées à l'ouest par Torigni; restaurer le dallage de l'église abbatiale et enfin reprendre en sous-œuvre la base de l'hôtellerie ruinée, aux murs lézardés.

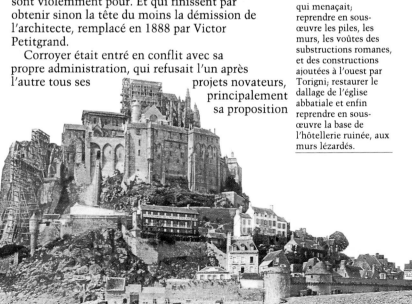

En 1896, un photographe réalise un reportage complet sur le Mont : vues d'ensemble, perspectives des salles, détails d'architecture, il veut tout montrer, et colore ensuite ses tirages, pour en donner ces images-chromos, aussi émouvantes que des aquarelles.

Du fort, de l'église et du prieuré de Tombelaine, ne restent que quelques ruines (ci-contre) qui, si elles peuvent décevoir la curiosité du visiteur, lui sont l'occasion d'une promenade magnifique, quoique dangereuse, à travers la baie.

De gauche à droite : le Châtelet, ou entrée de l'abbaye, les fortifications, l'intérieur de l'église abbatiale et le scriptorium. Bien qu'aujourd'hui restaurée, l'abbaye n'est pas totalement conforme à ce qu'elle était : manquent ainsi, dans l'église, les fresques et les vitraux qui mettaient de la couleur - et des couleurs très vives - sur les pierres.

Abbaye du Mont St Michel

de construction d'une flèche romane.
Petitgrand, beaucoup plus discret
que son prédécesseur, commence par
achever la restauration du réfectoire,
puis se lance dans la reprise des
quatre gros piliers de la croisée du
transept. Fort de quelques économies
dégagées sur son
budget initial,

il propose
habilement à la
commission
parisienne la réalisation
en quelque sorte gratuite
d'une flèche qu'en bon
disciple de Viollet-le-Duc
il construit, sans
opposition à force
de modestie
tenace, en style
néo-gothique.
Il ne verra
malheureusement
pas l'achèvement
des travaux.
    Le 6 août 1897
on installe au
sommet de la
flèche la statue
exécutée, en cuivre repoussé,
par les ateliers Monduit sur
la maquette du sculpteur
Frémiet. Le bout des ailes et
la pointe de l'épée sont des
paratonnerres, bien utiles en ce
lieu où la foudre est venue tant
de fois mettre le feu au milieu
des orages. Avec sa flèche
couronnée de l'Archange
terrassant le dragon,
la pyramide du mont
Saint–Michel trouve
enfin son sommet.

A près sa
nomination,
Petitgrand semble se
contenter de restaurer
le Mont «en l'état»
(dessin ci-dessus). Et
voilà que le 15 avril
1894, il propose,
comme innocemment,
un avant-projet de
flèche de 32 mètres
couronnée d'une statue
de l'Archange (à
gauche). Celle-ci
modifierait totalement
la silhouette du Mont,
réalisant enfin la
pointe pyramidale que
méritait à son sens le
monument. Et cela,
quasiment sans
nouveaux crédits.

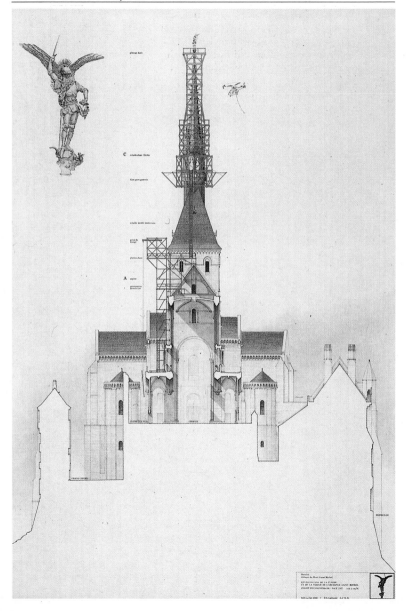

Sommet précaire, toujours menacé : il a fallu récemment «redescendre» l'Archange pour le restaurer – la foudre avait creusé dans ses ailes des trous à y passer le poing. En cette fin du XXᵉ siècle, on commence à restaurer les travaux du XIXᵉ siècle.

Ainsi, dernier épisode de la restauration des «couvertures», après l'étape des «ardoises fines», on en revient à une option «ardoise épaisse», plus conforme à la tradition, – mais dont les carrières locales n'assurent plus la production.

Après Petitgrand, mort en 1898, Paul Gout continue à bâtir, rebâtir et fouiller : il redécouvre, enfouie sous les siècles, la crypte oubliée de Notre-Dame-sous-Terre. Crypte coupée par un mur qui soutient en fait toute la façade de l'église abbatiale : il faut attendre 1959 et la technique moderne du ciment précontraint (où l'armature métallique ordinaire du béton armé est remplacée par des câbles d'acier sous tension) pour qu'on puisse couler dans l'épaisseur des plafonds une poutre qui soutiendra l'ensemble. On casse alors le mur de soutènement, on dégage des vestiges archaïques et un fragment d'un mur légèrement courbe, bâti de pierres énormes, trace probable de cet oratoire circulaire attribué à saint Aubert. Juste au-dessus du roc primitif, où peut-être sommeille encore le mégalithe abattu par l'enfantelet Bain, les techniques modernes ont permis de retrouver trace du monument originel.

M oins d'un siècle après leur construction, la flèche et l'Archange sont à nouveau en travaux (à gauche, sur un dessin de P. A. Lablaude). Le cuivre repoussé, matériau choisi pour sa légèreté et sa résistance, a révélé ses limites. La foudre frappa si souvent la statue qu'après un orage plus violent que les autres en 1982 l'épée formant paratonnerre resta dangereusement à l'horizontale. Il fallut donc en 1987 «déposer» la statue par hélicoptère, la réviser totalement, avant de la rapporter au Mont, le 4 octobre 1987, après l'avoir dorée.

S aint-Michel au péril de la mer,
telle est l'appellation complète
du Mont. C'était dire à la fois que la
mer menaçait le Mont et guettait
ceux qui tâchaient de l'atteindre.
Pour certains aujourd'hui la menace
s'inverse : le Mont contemporain
serait-il au péril de la terre ? Aux
marées lentement repoussées par
les sables correspondrait un Mont,
fourmilière à touristes, définitivement
désinsularisé.

CHAPITRE IV
AU PÉRIL DE LA MER, AU PÉRIL DE LA TERRE

E n 1368, la confrérie de Saint-Jacques, à Paris, avait déclaré accueillir 15 570 pèlerins «qui allaient et revenaient au mont Saint-Michel». Et c'est là un chiffre probablement «gonflé». Aujourd'hui, le Mont reçoit un million et demi de visiteurs par an.

Le Mont remonte au ciel, la baie est menacée par la terre

Le mont Tombe et le mont Dol sont géologiquement identiques. Ce qui fait toutefois l'attrait du premier, c'est, outre le monument, sa position exceptionnelle au milieu d'une baie de 40 000 hectares, parcourue de trois fleuves, ravagée de marées.

Depuis toujours, les hommes ont su que ces terrains où s'amassaient le limon des fleuves et les sédiments marins étaient d'une fertilité remarquable. Vers le milieu du XIXe siècle, les moyens techniques s'avèrent enfin suffisants pour tenter de canaliser ces fleuves capricieux – pendant la guerre de Cent Ans le Couesnon mit, un temps, Saint-Michel en Bretagne... – et pour construire des digues qui permettraient la polderisation de ces terres prometteuses.

Par décret du 21 juillet 1856, deux hommes d'affaires, Mosselman et Donon, obtiennent contre finance la concession de la baie, sous promesse de laisser autour du Mont une ceinture d'eau de... cent cinquante mètres. Les communes alentour, qui vivaient de la pêche et de l'exploitation de la tangue – cette vase très fine issue de sédiments longuement malaxés par les flots, remarquable engrais naturel –, protestent en vain. L'entreprise Mosselman devient en 1861 l'anonyme Compagnie des polders de l'Ouest.

De 1856 à 1863, on canalise le Couesnon. De 1859 à 1861, on réalise quatre kilomètres de la digue de Roche-Torin, pour finalement abandonner, sur cette rive droite du Couesnon, vaincu par l'action conjuguée des marées et des courants de la Sélune. Mais ce qui est construit, partiellement complété par une subvention gouvernementale, interdit dorénavant à la Sée et à la Sélune, en les rejetant au Nord, de venir balayer le sud de la baie.

L'Etat se lance, à partir de 1874, dans la réalisation d'une digue insubmersible destinée, selon un décret du 25 juin 1874, à «faciliter et rendre permanent l'accès du mont Saint-Michel, donner à la navigation dans le lit du

Couesnon une sécurité indispensable, assurer la protection du rivage menacé entre la Sélune et le Couesnon, et rendre à l'agriculture les terrains que la mer lui avait enlevés».

Dès le début des travaux, la construction de la digue amorce une polémique toujours vivace

On invoque bien sûr l'intérêt des Montois. Pourtant, en 1873, lors de l'enquête d'utilité publique, le seul qui ait manifesté un franc

Le résultat des travaux du XIXe siècle apparaît sur cette photo aérienne. De part et d'autre du Couesnon et de la route, 3 000 hectares de polders, exploités en polyculture et en élevage (de là partent, vers les terres émergées à marée basse les célèbres moutons de prés-salés).

enthousiasme est le R. P. Robert, supérieur des pères qui occupent alors l'abbaye. La digue incitera aux pèlerinages... Comment s'étonner dès lors de la politisation des débats, certains voyant dans cet ouvrage d'art une «entreprise pieuse» (dixit le député Edouard Locroy), et les tenants du radicalisme pur, bientôt majoritaires sous la IIIe République, un dessein entaché d'obscur cléricalisme.

Le second motif invoqué pour lancer les travaux, la navigation sur le Couesnon, ne résiste pas à l'usage : la digue construite, le fleuve s'ensabla, ce qui rendit sa navigation hasardeuse.

Le troisième motif est le plus probant : en colmatant la baie, on vole au secours de la Compagnie des polders... Ainsi les 772 000 francs investis dans la digue d'octobre 1878 à mai 1880 sont-ils manne d'Etat pour industrie privée.

La digue, talus de tangue renforcé par des enrochements, doit aboutir à l'entrée du Mont. Mais les ingénieurs, devant l'imminence d'une grande marée d'équinoxe susceptible de tout emporter, coupent au plus court et appuient leur ouvrage sur le pied des remparts, entre les tours du Roi et de l'Arcade.

Plus rien ne s'oppose désormais à l'exhaussement des grèves.

En 1919, inquiète de la détérioration du site, l'administration des Beaux-Arts obtient – contre une confortable indemnité de 59 000 francs versée à la Compagnie –, une réduction de 116 hectares du programme initial, de façon à maintenir une zone «maritime» entre le Mont et la frange des polders.

On s'aperçoit alors que les intérêts des Montois ne coïncident pas exactement avec l'intérêt du site

L'architecte Corroyer demande en 1879 l'arrêt des travaux. Ils s'achèvent toutefois. En la circonstance, les Ponts et Chaussées eurent plus

Tout visiteur rêve de voir le Mont par grandes marées. Encore aujourd'hui, en période d'équinoxe, la mer passe les murailles et arrive presque au niveau des bombardes anglaises installées à la poterne de la seconde porte.

de poids que les Beaux-Arts. Dès 1881, le débat
arrive à la Chambre. Victor Hugo, quelques
mois avant sa mort, s'enflamme dans la presse :
«Le mont Saint-Michel est pour la France ce que
la Grande Pyramide est pour l'Egypte. Il faut le
préserver de toute mutilation. Il faut que le
mont Saint-Michel reste une île. Il faut

préserver à tout prix cette double œuvre de la nature et de l'art.»

Des sociétés comme le Touring Club de France militent en faveur de l'insularité. Une association se crée en ce sens en 1901, relayée par les Amis du mont Saint-Michel, en 1911. Et les Montois ? D'abord indifférents ou réservés, ils prennent bientôt fait et cause pour la digue. Le conseil municipal, en 1888, vitupère les architectes, fossoyeurs de la digue qui rend tant de services et facilite la vie. Corroyer laissera sa tête dans le débat.

Depuis cette date, le point de vue de ces ex-insulaires n'a pas changé. Quand ce ne sont pas des motifs de confort qui sont invoqués, ce sont des questions de sécurité : va-t-on, au XXe siècle, empêcher pompiers ou ambulanciers d'accéder au village ? Faut-il n'avoir de malaise qu'à marée basse ? Et puis, n'en déplaise aux élus radicaux comme aux conservateurs, la digue permet le mariage harmonieux de la religion et du commerce, de la foi traditionnelle et de la libre entreprise. La digue, trait d'union entre tradition et expansion...

En attendant, en 1908, on crée une commission interministérielle pour étudier le problème. Et, dès 1910, ces techniciens concluent à la nécessité de construire deux urinoirs à l'entrée de l'abbaye. En 1911, on vote une résolution de suppression des deux cents derniers mètres de la digue.

Puis la guerre... Les projets s'enlisent, comme les décisions.

Derniers soubresauts modernes du conflit : on a détruit en 1983-1984 la digue de Roche-Torin, mais il est encore malaisé de calculer les effets de cette suppression sur le désensablement que tout visiteur de l'abbaye finance partiellement. Enfin, divers projets existent, visant prioritairement à désensabler un site très menacé à court terme, puis à remplacer la partie terminale de la digue par un pont susceptible de ne plus briser l'élan balayeur des marées ou peut-être par un tunnel.

Mais qu'adviendra-t-il des parkings où s'entassent, au pied du Mont, voitures et autocars ? Les touristes auront-ils la foi des anciens pèlerins

Très bientôt, dans les années 1990, cette vue aérienne du Mont, prise du large, fera figure de document d'archives. En effet, le projet de désensablement élaboré par le ministère de l'Equipement va modifier l'aspect du Couesnon. Le lit du fleuve va être élargi progressivement depuis Beauvoir jusqu'à l'estuaire, où il atteindra sa pleine largeur; on pourra ainsi disposer d'une réserve de plus d'un million de mètres cubes entre deux barrages, l'un à la Caserne (ci-contre le barrage de la Caserne, vu du continent à gauche, vu du Mont à droite), face au Mont, l'autre à Beauvoir, ce dernier empêchant la progression des eaux de mer plus en amont. Sur la rive gauche, un canal latéral permettra de garantir le drainage des polders et de bien assurer, pour la faune, la relation entre milieu fluvial et milieu marin : on peut rêver de revoir un jour dans le Couesnon des saumons et des civelles...

pour faire, à pied, les trois cents derniers
mètres ?

UN DRAMATIQUE ENLISEMENT

Petite pause géographique à l'intention des géographes amateurs, des botanistes et des gourmets

La région côtière du mont Saint-Michel se
rattache au marais de Dol. Le substrat
géologique est constitué de schistes
briovériens (remontant donc à l'ère
primaire), relativement plus tendres que les
autres roches du massif Armoricain : car
géologiquement le mont Saint-Michel
appartient indubitablement à la Bretagne.

L'érosion différentielle a balayé ces schistes,
donnant un golfe profond, très abrité du côté de
l'ouest : le colmatage et la régularisation des
côtes en ont été facilités.

L'essentiel de ce colmatage est constitué de
tangue, riche en calcaire, et de maërl,
combinaison de sable et de débris de coquilles
et d'algues calcaires. Ainsi l'îlot granitique de Dol a
été, lui, rattaché à la terre.

Le Mont est lui-même un îlot de granulite,

❝ On imagine
combien est atroce
l'agonie de ceux qui
sentent le sol se
dérober sous eux,
les attirer, les happer,
les envelopper peu
à peu d'un
linceul
de sable. **❞**
*Le Petit
Journal.*

variété de granit à grain fin, très résistant à l'érosion sous nos climats. On appelle batholites ces masses de granit injectées sur d'autres terrains, sédimentaires ou, comme ici, métamorphiques.

Entre le Mont et la côte, les basses eaux découvrent de grands bancs de sable et de vase découpés par un lacis de chenaux. Aux équinoxes, la mer peut se retirer jusqu'à quinze, voire dix-huit kilomètres. Dans la vasière, la partie susceptible d'être recouverte par les marées, on distingue la slikke et le schorre. La slikke est la partie la plus molle, basse et plane, molle parfois jusqu'aux sables mouvants tandis que le schorre, plus ferme, n'est recouvert que par les plus grandes marées, aux équinoxes généralement, encore que certaines des grandes marées ordinaires, deux jours après la pleine lune ou la nouvelle lune, arrivent jusque sur la tangue. Actuellement les sédiments apportés par la mer et non remportés au jusant représentent entre un et un million et demi de mètres cubes par an, qui exhaussent les grèves.

Les marées de la baie du mont Saint-Michel sont les plus fortes d'Europe (15 mètres d'amplitude). Aux grandes marées, la mer se retire jusqu'à 18 kilomètres du Mont, que le flux remonte ensuite en un peu plus de six heures. Contrairement à ce que prétend Hugo, on est loin de «la vitesse d'un cheval au galop».

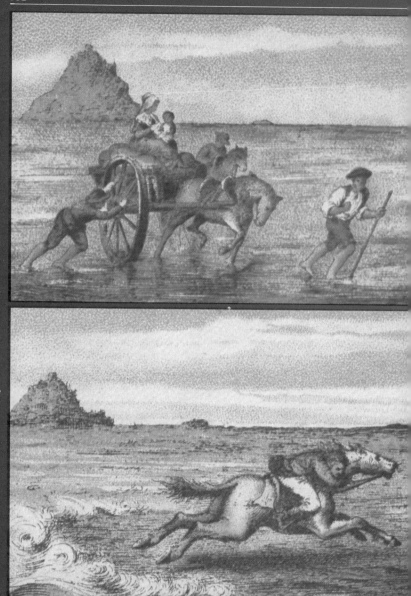

Les grèves mangeuses d'hommes

Il y a une légende noire du Mont, nourrie d'exagérations, voire d'affabulations pures, née davantage des hantises que des faits. Les légendes de ces vignettes du XIXe siècle sont évocatrices : «Lutte terrible entre le pêcheur et un monstre marin (murène) du poids de 30 kg, dont le squelette de la tête figure au musée du Mont. La gueule mesure 70 cm de circonférence»; «La marée envahit avec une telle rapidité ces grèves dangereuses que le voyageur pressera en vain sa monture pour échapper aux périls»; «Retour à Avranches d'une troupe de Bohémiens; nul dans le pays n'entendit plus jamais parler d'eux. On suppose qu'ils furent noyés ou engloutis dans les lises»...

La bastille des mers

Après l'évasion du peintre Colombat, parut à Avranches un récit apocryphe de cette aventure, où de nombreux détails imaginaires viennent enrichir la réalité. Ainsi, on raconte qu'au cours de son évasion, Colombat eut la brève vision de pauvres prisonniers, oubliés au fond de catacombes inavouables, disputant à d'immondes reptiles le droit de vivre encore, dans la plus pure tradition des «romans noirs». Autre légende : Gaultier, un sculpteur prisonnier au Mont (on lui attribue les stalles du chœur et l'escalier de dentelle...), se suicida en se précipitant, la tête la première, de la plate-forme de Beauregard.

Les mutations de l'économie montoise : de la pêche à l'hôtellerie

L'abbaye vivait surtout, du temps de sa splendeur, des revenus des terres que des dotations successives lui avaient dévolues. Le bourg, lui, vivait surtout des grèves. Est-ce un hasard si l'église paroissiale, bien que Jeanne d'Arc veille à l'entrée, est consacrée à saint Pierre, patron des pêcheurs ?

A la fin du XIXᵉ siècle, ils sont encore une vingtaine à vivre de la pêche, quelques-uns dans de grandes barques à fond plat, les woieries, mais la plupart à pied. On pêche tout de même, et en abondance : les hommes, du poisson (mulets, plies, saumons) ; les femmes, des crevettes ou des coques, et on les appelle alors, joliment, coquetières. Et ce, en faisant fi du danger.

Dangers de la marée, dangers des lises où l'on peut s'enfoncer – mais on les connaît assez pour les éviter –, dangers surtout du brouillard qui tombe sur la baie comme une hache. Longtemps on s'est guidé à la «cloche de brume» de l'église abbatiale. On peut également se repérer en interprétant le sens des circonvolutions que les marées laissent en baissant dans le sable de la baie.

La restauration de l'abbaye bouleverse cette économie. L'immense chantier ouvert pendant quatre-vingts ans amène au Mont des centaines d'ouvriers qu'il faut nourrir, et loger; et la reprise des pèlerinages conforte le Mont dans sa nouvelle vocation : les Montois étaient, jusque-là, hospitaliers, ils deviennent hôteliers.

Petite histoire du tourisme montois à travers les âges

Là où le XIXᵉ siècle, qui voyageait beaucoup, expédiait des «curieux», notre siècle envoie de vastes foules.

Les pêcheurs doivent s'aventurer à quatre ou cinq kilomètres du Mont. On les appelle «pieds-rouges», car ils rentrent les pieds violacés après tant d'heures passées à patauger dans les courants glacés. Ils commencent à pêcher «au baissant» et rentrent «au montant» : la lune guide les marées, les marées mènent les pêcheurs.

Au début du siècle, la baie est encore très poissonneuse. Mulets et saumons sont pêchés avec le grand filet, qui peut faire près de 1 000 mètres, ou avec une senne, filet plus petit ou un carrelet. Mais le plus souvent, on pousse devant soi un filet triangulaire monté sur deux perches, le grand havenet. Les plies enfin sont harponnées avec un tât, ou une foène, proche de la fourche.

Au XVIIᵉ siècle, passant à Dol, la marquise de Sévigné note dans une lettre à sa fille : «Je voyais de ma chambre la mer et le mont Saint-Michel, ce mont si orgueilleux, que vous avez vu si fier et qui vous a vue si belle.» Elle le voit de bien loin, sans envie, manifestement, d'approcher ce rocher d'une beauté un peu trop sauvage pour ses sens raffinés.

Dans les *Mémoires d'un touriste*, en 1838, Stendhal est encore plus net : «En faisant à pied la longue montée qui précède les premières maisons d'Avranches, j'ai eu une vue complète du mont Saint-Michel, qui se montrait à gauche dans la mer, fort au-dessous du lieu où j'étais. Il m'a paru si petit, si mesquin, que j'ai renoncé à l'idée d'y aller. Ce rocher isolé paraît sans doute un pic grandiose aux Normands, qui n'ont vu ni les Alpes ni Gavarnie. Ce n'est pas eux que je plains ; c'est un grand malheur d'avoir vu trop de bonne heure la beauté sublime.»

Que sont en effet cent quarante mètres pour un auteur dont le héros préféré passait les Alpes comme autrefois Annibal? Et Stendhal de poursuivre : «Un voyageur me disait hier que la plus jolie personne de Normandie habite l'auberge du mont Saint-Michel...»

Cette motivation faillit être la bonne... Notons au passage le singulier : «l»'auberge. En cette première moitié du XIXᵉ siècle, le bourg vivote en commerçant avec les prisonniers et avec leurs geôliers. La décision de Napoléon III de supprimer la Maison centrale, en 1863, plonge le village dans un profond désarroi.

Tout change rapidement. Au recensement de 1901, sur deux cent trente-cinq habitants, on trouve donc vingt pêcheurs, les quelques commerçants traditionnels d'un village, quelques religieux et une poignée de fonctionnaires, quarante-six enfants, mais déjà

Après la porte de l'Avancée, après la porte du Boulevard, la porte du Roi ouvre sur la Grande Rue. Dès la fin du XIXᵉ siècle, marchands de souvenirs et hôteliers s'en sont partagé les boutiques. Ils y offrent une multitude de souvenirs aux foules de pèlerins qui, depuis la restauration, recommencent à visiter le Mont.

plusieurs hôteliers, restaurateurs, bistrots, marchands de souvenirs, et plus d'une centaine d'employés préfigurant une vraie infrastructure hôtelière : domestiques, employés de maison, femmes de chambre, etc. A titre de comparaison, au recensement de 1982, on ne dénombre plus que quatre-vingts habitants. Et, faute d'enfants, il n'y a plus d'école depuis 1972.

Où l'on constate que la manne touristique arrive plus aisément à vélo qu'à dos d'homme, en voiture qu'à bicyclette, et en train qu'en auto

Il fallut d'abord y parvenir à pied : excursion à travers les grèves, même si parfois le «marquis»

Au Mont, rien d'impossible : la célébrité s'acquiert avec des idées, et du travail... Femme de chambre de Mme Corroyer, venue donc sur le Mont avec le célèbre architecte, Annette Boutiaut épouse en 1873 Victor Poulard. Ils s'installent au Mont, à l'hôtel Saint-Michel/Tête d'or. Pour calmer les ventres affamés qui n'en peuvent plus d'attendre que le gigot des prés-salés soit cuit, la «mère Poulard» se lance dans l'omelette, qui fait sa renommée. Et la maison dès lors de s'agrandir sans cesse, de collectionner les autographes de célébrités sur son livre d'or, et même de s'offrir le luxe d'une concurrence homonyme, le frère de Victor Poulard s'étant lancé lui aussi dans la restauration. Ce n'est qu'en 1906 qu'une société hôtelière réunit les deux établissements, lorsque les Poulard prennent leur retraite.

de Tombelaine vous prenait sur son dos, comme autrefois Tristan porta la blonde Iseult...

L'accès en bateau ne fut jamais aisé. Horaires contraignants des marées, abondance des bancs de sable, et aujourd'hui, sauf par grandes marées, obligation de porter sa barque sur son dos sur le dernier kilomètre...

En cette fin du XIXᵉ siècle, on se rend donc au Mont en train, avec changement à Pontorson pour emprunter l'une des pataches de la mère Lemoine, ou encore à partir du village de Genêts, dans de grandes carrioles, les maringottes, attelées de deux chevaux en flèche.

En 1901, on élargit la digue et on y plante une voie de chemin de fer, dont on discerne encore les traces sur la berge du Couesnon. Succès foudroyant, sauf auprès des Pontorsonais : dix mille visiteurs en

Né en 1854 à Saint-Brieuc, Jean Gauthier, dit Ledéluge, fut appelé «marquis de Tombelaine» parce qu'il y avait installé sa cabane. Il guidait les touristes à travers les grèves, ce qui ne l'empêcha tout de même pas de se faire surprendre par la marée, en 1892, un jour où il avait trop bu.

1860, trente mille en 1885 (construction achevée de la digue), et avec le tramway cent mille en 1910. Cent mille personnes prises d'assaut (on appelle cela «la chine») par les employés des hôtels. Saint Michel aurait fort à faire pour venir à son tour chasser les marchands du temple...

La voiture tue le train. En 1912, un record : quatre-vingts voitures sur la digue. Aujourd'hui, de trois à quatre cent mille par an, sans compter quelques milliers d'autocars garés en épi tout le long du Couesnon. Cet impérialisme de l'automobile n'est pas pour concilier partisans et adversaires de la digue. Il n'y a plus personne pour venir à pied au mont Saint-Michel.

M algré l'opposition des Pontorsonais, on élargit la digue en 1901 et on y installa un tramway : jusqu'à la veille de la Seconde Guerre mondiale, où on le supprima, ce moyen de transport était en effet plus accessible aux touristes que la voiture particulière, encore très rare.

Le Mont au rythme des saisons : l'été joue sur la prolixité, et l'hiver sur le silence

Voici le temps des fleurs, les hôteliers fourbissent leurs comptoirs. Voici le temps des fruits, et les vagues humaines qui bruissent sur le Mont concurrencent le flot murmurant à ses pieds. A l'arrière-saison un rythme différent s'installe, et des touristes sénescents redécouvrent les haltes essoufflées des vrais chemins de croix.

Et puis le temps des brumes. Mme de Sévigné, au sommet du mont Dol, n'aperçoit plus grand-chose de ce roc orgueilleux, et puis elle frissonne sous la bruine océane. Stendhal et Maupassant, depuis les hauts d'Avranches, discernent confusément la grande pyramide dont les contours s'estompent. Et, lentement, dans le brouillard, le Mont revient à un silence austère.

L e 31 juillet 1910, Forest survola le Mont sur un biplan Voisin. Le mois suivant, il y eut un vrai meeting d'aviation à Beauvoir, et Busson, sur monoplan, Blériot, De Pischof sur un appareil de son invention (ci-dessus), Champel sur biplan tournèrent autour du Mont.

Le Mont dans tous ses états
Au gré de son imagination, l'illustrateur Christian Broutin fait (pages suivantes) du Mont un paisible village montagnard, un bloc à la dérive sur les chutes du Niagara, ou un nouveau Manhattan.

c.broult.

c.broutin.

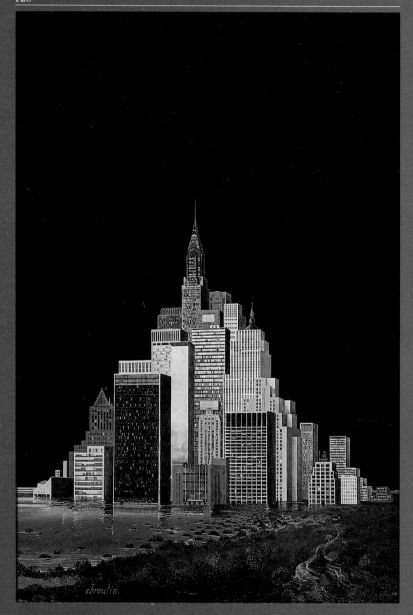

chroulin.

TÉMOIGNAGES
ET DOCUMENTS

Le Mont des miracles,
le Mont des architectes,
le Mont des souvenirs.

Le mont des miracles

Saint Michel, le « psychopompe », apparaît bien sûr dès l'« Apocalypse » de saint Jean, au 1er siècle. De ce texte sacré naît une longue tradition « merveilleuse », où les hauts faits s'enchaînent aux miracles. Ces miracles ont-ils un fondement ? La question ne mérite pas en fait de réponse, puisque le Moyen Âge, lui, y croyait. Mais elle mérite d'être posée, car à défaut de réponses, les hypothèses ici se pressent et se télescopent.

Un grand signe parut dans le ciel : une femme enveloppée du soleil, la lune sous ses pieds, et une couronne de douze étoiles sur sa tête.

2 Elle était enceinte, et elle criait, étant en travail et dans les douleurs de l'enfantement.

3 Un autre signe parut encore dans le ciel : et voici, c'était un grand dragon rouge feu, ayant sept têtes et dix cornes, et sur ses têtes sept diadèmes.

4 Sa queue entraînait le tiers des étoiles du ciel, et les jetait sur la terre. Le dragon se tint devant la femme qui allait enfanter, afin de dévorer son enfant, lorsqu'elle aurait enfanté.

5 Elle enfanta un fils, qui doit paître toutes les nations avec une verge de fer. Et son enfant fut enlevé vers Dieu et vers son trône.

6 Et la femme s'enfuit dans le désert, où elle avait un lieu préparé par Dieu, afin d'y être nourrie pendant mille deux cent soixante jours.

7 Et il y eut guerre dans le ciel. Michel et ses anges combattirent contre le dragon. Et le dragon et ses anges combattirent,

8 mais ils ne furent pas les plus forts, et leur place ne fut plus trouvée dans le ciel.

9 Et il fut précipité, le grand dragon, le serpent ancien, appelé le diable et Satan, celui qui séduit toute la terre, il fut précipité sur la terre, et ses anges furent précipités avec lui.

10 Et j'entendis dans le ciel une voix forte qui disait : Maintenant le salut est arrivé, ainsi que la puissance, le règne de notre Dieu, et l'autorité de son Christ ; car il a été précipité, l'accusateur de nos frères, celui qui les accusait devant notre Dieu jour et nuit.

11 Ils l'ont vaincu à cause du sang de l'Agneau et à cause de la parole de leur témoignage, et ils n'ont pas aimé leur vie jusqu'à craindre la mort.

12 C'est pourquoi réjouissez-vous, cieux, et vous qui habitez dans les cieux. Malheur à la terre et à la mer ! car le diable est descendu vers vous, animé d'une grande colère, sachant qu'il a peu de temps.

Saint Jean,
Apocalypse
vers 97 ap. J.-C.

Autour du Mont s'étendait une vaste forêt qu'un raz de marée détruisit : voilà pour la légende, qui excita particulièrement l'imagination de La Varende, brillant romancier normand, qui raconte ici cet engloutissement soudain.

Nous savons, par ailleurs, que les voies romaines ignoraient tout de cette légendaire forêt de Scissy, probablement engloutie sur plusieurs millénaires par une érosion lente de la terre par la mer et les fleuves.

L'étonnant, le terrible miracle de mars 709 ! Le raz de marée, l'engloutissement, la descente du sol, les tremblements de la terre ! Les moines, réunis autour de saint Aubert et accouvés sur leur roc ; préservés mais assaillis de toutes parts cramponnés dans la nuit liquide des averses et des tempêtes, car ces sortes de phénomènes ne vont pas sans ouragans. Ils virent se révolter les arbres ; craquer et se tordre la forêt dans le déversement des vagues. Ce dut être rapide. Il faut avoir suivi de

Au jour du Jugement, saint Michel, à la tête des milices célestes, extermine les bêtes immondes, sous le regard complaisant de sa Dame, Notre Dame.

L e Mont entouré de forêts, exacte réplique du mont Dol : ainsi parlent la légende et la géographie. Mais la forêt a-t-elle bien disparu dans un raz de marée gigantesque ?

près le travail d'affouillement des eaux pour se rendre compte de sa violence. En quelques heures, les racines furent à nu. Et tout cela, bientôt, sous l'autan, dut se coucher, s'enfoncer, s'entasser dans une vacillation ivre ; exploser, déflagrer – pour un seul arbre qui tombe, quel bruit ! et toute une forêt ! Les moines, secoués sur leur rocher, grimpés jusqu'au sommet voyaient les eaux pousser des chênes, leur jeter des futaies à l'assaut. Si la chose se produisit de nuit – et la nuit surprit certainement l'immense inondation – alors, quel déchaînement tonitruant ! L'abîme s'entrouvait, avec ses maléfices formidables, ses cataractes noires... La montagne devait être pleine de reptiles, de loups, de lynx : les bêtes surgissaient, sifflantes, haletantes, sur ce seul terrain ferme que leur désignait leur instinct. Déjà, avant le déchirement, les moines avaient dû recevoir des vagues de vipères. La montagne rebondissait, s'ébrouait. Sans doute formèrent-ils un pauvre cercle, bâtons en avant ; l'éclair leur livrait un paysage informe, méconnaissable, et un aspect trop précis, trop voisin, la harde des animaux qui tournaient autour d'eux. Quelle nuit indicible ! Les démons voulaient rentrer ; les portes de l'enfer prévalaient.

Mais au petit jour, enfin, sous la pluie diffuse, les arbres partirent avec le jusant. Ils les virent, comme des baleines vertes, s'en aller, s'échouer. Il y eut des archipels instables, sur la mer de limon où trainaient de monstrueuses baves. Puis, l'heure venue, au nord, à l'horizon, parut, enfin brillante et nette, une lame longue : la Manche.

Jean de la Varende,
Le Mont-Saint-Michel,
1943.

L'une des légendes les plus connues est celle de cette femme enceinte qui, protégée par l'Archange ou par la Vierge, accoucha au sein de la marée : la mer/la mère.

Du mont Tombe au mont Saint-Michel

Depuis 1965, des bénédictins des abbayes du Bec et de Saint-Wandrille se sont réinstallés au Mont, sans toutefois que l'abbaye, en tant que réalité autonome, soit reconstituée. Le Père de Senneville, prieur de cette petite communauté, a bien voulu répondre à quelques questions sur le Mont Saint-Michel, d'hier et d'aujourd'hui.

Saint Benoît, deux fois présent sur cette miniature, institue l'ordre monastique le plus puissant du Moyen Âge, quand l'Église régnait « sur la Terre comme au Ciel ».

« Comment saint Michel s'est-il imposé sur le mont Tombe ? A quelle concurrence a-t-il eu affaire, et y avait-il une concurrence ?

– Certainement. Les deux monts voisins, Tombelaine et le mont Dol, abritaient des cultes païens, Bénénus sur l'un, Cybèle sur l'autre. Il serait bien étonnant que le mont Tombe ait échappé à la prédilection des cultes pour les lieux élevés.

– Ne peut-on penser, justement, que le mont Tombe fut, très tôt, un lieu chrétien, "concurrent" des lieux de culte gallo-romains ?

– Il y a certes une tradition chrétienne sur le mont Tombe, antérieure à saint Michel : il y avait, avant le VIIIe siècle, deux oratoires, consacrés l'un à saint Symphorien, l'autre à saint Etienne, où s'étaient installés des ermites.
» Et puis, en 708, saint Michel apparaît dans un songe à Aubert, lui ordonnant de bâtir ici une église. Et là, nous passons de la préhistoire à l'Histoire, du mont Tombe au Mont-Saint-Michel.

– On a pu contester jusqu'à l'existence d'Aubert, qui n'est étayée que par un récit très postérieur aux faits, et des reliques sur l'authenticité desquelles...

– De faits aussi anciens, on peut toujours tout contester, mais c'est faire bon marché d'une réalité indubitable : l'aura de religiosité qui baignait ce monde médiéval. Pourquoi l'histoire d'Aubert ne serait-elle que légende ? Peu importe que le crâne conservé à l'église Saint-Gervais d'Avranches soit ou non celui de l'évêque fondateur : le Moyen Âge le croyait. La foi était le ressort essentiel de ces époques lointaines, et à cet égard l'histoire du Mont s'inscrit dans l'histoire générale du pays : pourquoi vouloir "scienticiser" des choses qui ne sont pas forcément d'ordre rationnel ? Comme l'a dit je crois Patrice de la Tour du Pin : "Les peuples qui n'ont pas de légendes sont condamnés à mourir de froid."

Des chanoines aux moines

– *Comment les bénédictins se sont-ils installés sur le Mont ?*

– Ils ne s'installent, en fait, qu'à partir de 965. Auparavant c'était à des chanoines qu'était dévolue la "permanence" religieuse au Mont.

– *Du chanoine au moine, quelles différences essentielles ?*

– Le chanoine est, si je puis dire, un fonctionnaire de l'Eglise. Il assure les offices et chante la gloire de Dieu au nom d'une église locale.
» Un moine n'est pas forcément prêtre. Les abbés même ne l'étaient souvent pas non plus. Saint Benoît d'ailleurs ne l'a jamais été. Un moine est un chrétien qui pousse jusqu'au bout les conséquences de son baptême ; si le chanoine a une fonction, le moine, lui, a une position.
» Ce qui l'amène, naturellement, à se prendre en charge lui-même. Saint Benoît, dans sa règle, demande qu'il y ait dans un monastère tout ce qui est nécessaire à la vie : le monastère doit pouvoir vivre en autarcie. Mais simultanément il parle des ces "artisans du monastère", producteurs de biens qu'ils devaient d'ailleurs vendre moins cher que les séculiers. Saint Benoît savait bien que ses moines auraient besoin d'argent pour acheter ce qu'ils ne produiraient pas.

– *Mais pourquoi fonder ici une abbaye ?*

– Au cours du Xᵉ siècle, il y a prolifération de monastères en Normandie. Nos ducs étaient certainement séduits par la capacité d'organisation – et d'ordre – des abbayes bénédictines.

– *La vie devait cependant y être très dure ?*

– Très. Je me permettrai de vous lire quelques lignes d'une petite plaquette que j'ai rédigée autrefois : "Il fallait ici être solide de corps et de cœur pour résister aux centaines de marches quotidiennes, suffisamment épanoui pour se défendre de l'oppression du granit et surmonter l'absence de chlorophylle ; équilibré pour s'adapter au rythme des saisons apportant leur moisson débordante de pèlerins ou au contraire leur solitude dont les brouillards glacés de la baie ne sont que faible image ; puissamment armé intérieurement pour ne pas devenir frocard ou même soudard. Mais être au contraire rayonnant du Seigneur pour apporter à tous paix et joie à travers prière et hospitalité."

Tailleurs de pierre

– *C'est grâce à ce travail des moines qu'on a pu acheter les pierres de l'abbatiale, où l'on distingue encore souvent le signe particulier de l'artisan qui les tailla, et qui se faisait ainsi reconnaître et payer.*

– C'est cela. Pas d'histoires de serfs et de travail forcé : les artisans étaient payés à la pièce. Et le fait qu'ils aient eu la foi n'est pas incompatible, que je sache, avec un salaire honorable.
» Il y a dans *Citadelle* de Saint-Exupéry la parabole suivante. A trois tailleurs de pierre on demande ce qu'ils font. "Je taille une pierre", dit le premier. "Je gagne la vie de ma famille", répond le second. Et le troisième : "Je construis une cathédrale"
En fait les trois réponses pouvaient cohabiter chez le même artisan.

Pèlerins et touristes

» C'est un peu comme le pèlerinage. Aujourd'hui, un pelerinage peut être historique, artistique ou religieux. Ou n'importe quelle combinaison de ces trois éléments. Au Mont, nous avons la chance d'avoir les trois simultanément : l'histoire, l'art et la foi.

– *Aujourd'hui, dites-vous. Mais quel était le sens d'un pèlerinage au XIIIe ou XIVe siècle ?*

Au pied du Mont, face à la mer chaque jour menaçante, saint Aubert, comme au premier jour, veille.

Avant même la complète restauration, les processions et les pèlerinages reprennent, dès la fin du XIXᵉ siècle, comme sur cette carte postale antérieure à la Première Guerre mondiale.

– C'était très profond. La condition humaine en soi est une condition de pèlerin. Nous sommes des voyageurs sur cette terre, et d'ailleurs Dieu aime les nomades.

» Le premier crime de la Bible, c'est Caïn, l'agriculteur, le sédentaire, qui tue Abel, le berger, le nomade. Parce que le Seigneur avait accepté l'offrande d'Abel, et pas celle de Caïn. Et quel est le châtiment ? "Tu seras errant et fugitif par le monde". Dieu le ramène à l'état de nomade qu'il n'aurait pas dû quitter.

» Dans le pèlerinage, l'homme retrouve le rite de la procession, d'un lieu à l'autre. Il réalise pleinement sa condition humaine, qui est justement une condition pérégrine.

– *Est-ce ainsi que vous interprétez les flux touristiques qui inondent le Mont ?*

– Le tourisme, c'est l'enfant laïque du pèlerinage. Je ne crois pas que le touriste qui amène sa famille au Mont ait le sentiment, même confus, de retrouver la condition pérégrine de l'homme. Mais le dépaysement – cette impression d'aller vers quelque chose –, et même les souvenirs que l'on ramène, participent quand même de la démarche du pèlerin.

Et ce n'est peut-être pas par hasard si depuis quelques années des groupes de jeunes viennent, apprenant qu'il y a des moines au Mont, nous questionner.

Saint Michel d'hier et d'aujourd'hui

– *Que représente en fait saint Michel ? Si vous aviez à le résumer en une formule ?*

– Vous connaissez la signification de son nom : en hébreu, Mi-ka-el est le cri de l'archange et signifie : "Qui est comme Dieu", *Quis ut Deus* : "S'il y a quelqu'un qui se prétend l'égal de Dieu, moi, Michel, je l'abats." C'est le héros de la grandeur de Dieu, le gardien de la divine proportion.

» Regardez la petite chapelle Saint-Aubert, elle est d'un symbolisme absolument prodigieux. Saint-Aubert, au pied du mont, veille sur cette élévation du mont. Le Mont est dédié à la grandeur de Dieu, pas à la grandeur de l'Archange. Le message de saint Michel c'est : "Dieu seul est grand. Et qui ose dire qu'il est comme Dieu ?" »

Le Mont face à l'Histoire

Les auteurs classiques apprécièrent peu le site du Mont. Il faut attendre les romantiques, Hugo, Nodier, Gautier, Michelet, pour que l'aspect sauvage de ce qui était alors une prison perdue parmi les flots, emporte l'enthousiasme des voyageurs.

Hugo, grand amateur de ruines médiévales et de flots déchaînés, visite le Mont en 1836.

J'étais hier au Mont-Saint-Michel. Ici, il faudrait entasser les superlatifs d'admiration, comme les hommes ont entassé les édifices sur les rochers et comme la nature a entassé les rochers sur les édifices. Mais j'aime mieux commencer platement par te dire, mon Adèle, que j'y ai fait un affreux déjeuner. Une vieille aubergiste bistre appelée Mme Laloi a trouvé moyen de me faire manger du poisson pourri au milieu de la mer. Et puis, comme on est sur la lisière de la Bretagne et de la Normandie, la malpropreté y est horrible, composée qu'elle est de la crasse normande et de la saleté bretonne qui se superposent à ce précieux point d'intersection. Croisement des races ou des crasses, *comme tu voudras.*

J'ai visité en détail et avec soin le château, l'église, l'abbaye, les cloîtres. C'est une dévastation turque. Figure-toi une prison, ce je ne sais quoi de difforme et de fétide qu'on appelle une prison, installée dans cette magnifique enveloppe du prêtre et du chevalier au quatorzième siècle. Un crapaud dans un reliquaire. Quand donc comprendra-t-on en France la sainteté des monuments ?

A l'extérieur, le Mont-Saint-Michel apparaît, de huit lieues en terre et de quinze en mer, comme une chose sublime, une pyramide merveilleuse dont chaque assise est un rocher énorme façonné par l'océan ou un haut habitacle sculpté par le Moyen Âge, et ce bloc monstrueux a pour base, tantôt un désert de sable comme Chéops, tantôt la mer comme le Ténériffe.

A l'intérieur, le Mont-Saint-Michel est misérable. Un gendarme est à la porte, assis sur le gros canon rouillé pris aux anglais par les mémorables défenseurs du château. Il y avait un

Le mont Saint-Michel est pour la France ce que la grande pyramide est pour l'Egypte. Il faut le préserver de toute mutilation. Il faut que le mont Saint-Michel reste une île. Il faut conserver à tout prix cette double œuvre de la nature et de l'art.

Victor Hugo.

Dans le débat « pour ou contre la digue », Hugo, conforme à son idéal romantique, plaide pour un respect intégral du site.

Tout cela était coupé par le cri aigre des poulies du télégraphe...

second canon de même origine. On l'a laissé bêtement s'enliser dans les fanges de la poterne. On monte. C'est un village immonde où l'on ne rencontre que des paysans sournois, des soldats ennuyés et un aumônier tel quel. Dans le château, tout est bruit de verrous, bruit de métiers, des ombres qui gardent des ombres qui travaillent (pour gagner vingt-cinq sous par semaine), des spectres en guenilles qui se meuvent dans des pénombres blafardes sous les vieux arceaux des moines, l'admirable salle des chevaliers devenue atelier où l'on regarde par une lucarne s'agiter des hommes hideux et gris qui ont l'air d'araignées énormes, la nef romane changée en réfectoire infect, le charmant cloître à ogives si délicates transformé en promenoir sordide, partout l'art du quinzième siècle insulté par l'eustache sauvage du voleur, partout la double dégradation de l'homme et du monument combinées ensemble et se multipliant l'une par l'autre. Voilà le Mont-Saint-Michel maintenant.

Pour couronner le tout, au faîte de la pyramide, à la place où resplendissait la statue colossale dorée de l'archange, on voit se tourmenter quatre bâtons noirs. C'est le télégraphe. Là où s'était posée une pensée du ciel, le misérable tortillement des affaires de ce monde ! C'est triste.

Je suis monté sur ce télégraphe

La grande roue, à l'intérieur de laquelle marchaient les forçats, comme des écureuils, servait à hisser dans le bloc abbatial les plus lourdes charges.

Illustrant les *Voyages pittoresques* de Nodier et Taylor, cette gravure montre la Salle des Gros Piliers du temps des prisons.

qui s'agitait fort en ce moment. Le bruit courait dans l'île qu'il annonçait au loin des choses sinistres. On ne savait quoi. (Je l'ai su à Avranches. C'était le nouveau meurtre essayé sur le roi.) Arrivé sur la plate-forme, l'homme d'en bas qui tirait les ficelles m'a crié de ne pas me laisser toucher par les antennes de la machine, que le moindre contact me jetterait infailliblement dans la mer. La chute serait rude, plus de cinq cents pieds. C'est un fâcheux voisin qu'un télégraphe sur cette plate-forme qui est fort étroite, et n'a pour garde-fou qu'une barre de fer à hauteur d'appui, de deux côtés seulement pour ne pas gêner le mouvement de la machine. Il faisait grand vent. J'ai jeté mon chapeau dans la cabine de l'homme, je me suis cramponné à l'échelle, et j'ai oublié les contorsions du télégraphe au-dessus de ma tête en regardant l'admirable horizon qui entoure le Mont-Saint-Michel de sa circonférence où la mer se soude à la verdure et la verdure aux grèves.

La mer montait en ce moment-là. Au-dessous de moi, à travers les barreaux d'un de ces cachots qu'ils appellent *les loges*, je voyais pendre les jambes d'un prisonnier qui, tourné vers la Bretagne, chantait mélancoliquement une chanson bretonne que la rafale emportait en Normandie. Et puis il y avait aussi au-dessous de moi un autre chanteur qui était libre, celui-là. C'était un oiseau. Moi, immobile au-dessus, je me demandais ce que les barreaux de l'un devaient dire aux ailes de l'autre. Tout ceci était coupé par le cri aigre des poulies du télégraphe transmettant la dépêche de M. le ministre de l'intérieur à MM. les préfets et sous-préfets.

Il n'y a plus de prisonniers politiques maintenant au Mont-Saint-Michel. Quand n'y aura-t-il plus de prisonniers du tout !

Victor Hugo,
Lettre à Adèle, 28 juin 1836
dans *France et Belgique*

Près d'Avranches

La nuit morne tombait sur la morne étendue.
Le vent du soir soufflait, et, d'une aile éperdue,
Faisait fuir, à travers les écueils de granit,
Quelques voiles au port, quelques oiseaux au nid.

Triste jusqu'à la mort je contemplais ce monde.
Oh ! que la mer est vaste et que l'âme est profonde !
Saint-Michel surgissait, seul sur les flots amers,
Chéops de l'occident, pyramide des mers.

Je songeais à l'Égypte aux plis infranchissables,
A la grande isolée éternelle des sables,
Noire tente des rois, ce tas d'ombres qui dort
Dans le camp immobile et sombre de la mort.

Hélas ! dans ces déserts qu'emplit d'un souffle immense
Dieu, seul dans sa colère et seul dans sa clémence,
Ce que l'homme a dressé debout sur l'horizon,
Là-bas, c'est le sépulcre, ici, c'est la prison.

Victor Hugo,
les Quatre Vents de l'esprit, III,
« Le livre lyrique », 1881.

Bien haut, planant à l'aise, quand vous êtes ainsi à jouir d'autant d'étendue que s'en peuvent repaître des yeux humains, que vous regardez la mer, l'horizon des côtes développant son immense courbe bleuâtre, ou, dressée sur sa pente perpendiculaire, la muraille de la Merveille, avec ses trente-six contreforts géants, et qu'un rire d'admiration vous crispe la bouche, tout à coup, vous entendez dans l'air claquer le bruit sec des métiers. On fait de la toile. La navette va, bat, heurte ses coups brusques ; tous s'y mettent, c'est un vacarme.

Entre deux fines tourelles représentant deux pièces de canon sur leur culasse, la porte d'entrée du château s'ouvre par une voûte longue où un escalier de granit s'engouffre. Le milieu en reste toujours dans l'ombre, éclairé qu'il est à peine par deux demi-jours, l'un arrivant d'en bas, l'autre

66 On dirait un désert dont la mer s'est retirée. **99**
Flaubert évoque ainsi le paysage montois.

66 ... la première porte s'ouvre sur une sorte de chaussée de galets descendant à la mer... **99**

tombant d'en haut par l'intervalle de la herse ; c'est comme un souterrain qui descendrait vers vous.

Le corps de garde est, en entrant, au haut du grand escalier. Le bruit des crosses de fusil retentissait sous les voûtes avec la voix des sergents qui faisaient l'appel. On battait du tambour.

Cependant un garde-chiourme nous a rapporté nos passeports que M. le gouverneur avait désiré voir ; il nous a fait signe de le suivre, il a ouvert des portes, poussé des verrous, nous a conduits à travers un labyrinthe de couloirs, de voûtes, d'escaliers. On s'y perd, une seule visite ne suffisant pas pour comprendre le plan compliqué de toutes ces constructions réunies où, forteresse, église, abbaye, prisons, cachots, tout se trouve, depuis le roman du XIᵉ siècle jusqu'au gothique flamboyant du XVIᵉ. Nous ne pûmes voir que par un carreau, et en nous haussant sur la pointe des pieds, la salle

L e réfectoire des moines, orienté est-ouest, éclairé par d'étroites fenêtres donnant sur le nord, est le lieu de tous les jeux d'ombre, et donne à l'ouest sur le cloître, lieu de toutes les lumières.

des Chevaliers qui, servant maintenant d'atelier de tissage, est par ce motif interdite aux gens. Nous y distinguâmes seulement quatre rangs de colonnes à chapiteaux ornés de trèfles et supportant une voûte sur laquelle filent des nervures saillantes. A deux cents pieds au-dessus du niveau de la mer, le cloître est bâti sur cette salle des Chevaliers. Il se compose d'une galerie quadrangulaire formée par une triple rangée de colonnettes en granit, en tuf, en marbre granitelle ou en stuc fait avec des coquillages broyés. L'acanthe, le chardon, le lierre et le chêne s'enroulent à leurs chapiteaux ; entre chaque ogive bonnet d'évêque, une rosace en trèfle se découpe dans la lumière ; on en a fait le préau des prisonniers.

La casquette du garde-chiourme passe le long de ces murs où l'on voyait rêver jadis le crâne tonsuré des vieux bénédictins travailleurs ; et le sabot du détenu bruit sur ces dalles que frôlaient les robes des moines soulevées par les grosses sandales de cuir qui se ployaient sous leurs pieds nus.

L'église a un chœur gothique et une nef romane, les deux architectures étant là comme pour lutter de grandeur et d'élégance. Dans le chœur l'ogive des fenêtres est haute, pointue, élancée comme une aspiration d'amour ; dans la nef, les arcades l'une sur l'autre ouvrent rondement leurs demi-cercles superposés, et sur la muraille montent des colonnettes qui grimpent droites comme des troncs de palmier. Elles appuient leurs pieds sur des piliers carrés, couronnent leurs chapiteaux de feuilles d'acanthe, et continuent au-delà par de puissantes nervures qui se courbent sous la voûte, s'y croisent et la soutiennent.

Il était midi. Par la porte ouverte le grand jour entrant faisait ruisseler ses effluves sur les pans sombres de l'édifice.

La nef séparée du chœur par un grand rideau de toile verte est garnie de

66... et le sabot du détenu bruit sur ces dalles que frôlaient les robes des moines...**99**
Dans la salle des Chevaliers croupissaient les gardes et les prisonniers.

tables et de bancs, car on l'a utilisée en réfectoire.

Quand on dit la messe, on tire le rideau, et les condamnés assistent à l'office divin sans déranger leurs coudes de la place où ils mangent : cela est ingénieux.

Pour agrandir de douze mètres la plate-forme qui se trouve au couchant de l'église, on a tout bonnement raccourci l'église ; mais comme il fallait reconstruire une entrée quelconque, un architecte a imaginé de fermer la nef par une façade de style grec ; puis, éprouvant peut-être des remords ou voulant, ce qui est plus croyable, raffiner son œuvre, il a rajusté après coup des colonnes à chapiteaux « assez bien imités du XIe siècle », dit la notice. Taisons-nous, courbons la tête.

Chacun des arts a sa lèpre particulière, son ignominie mortelle qui lui ronge le visage.

Gustave Flaubert,
*Par les champs
et par les grèves*
1847-1885

Une vue des cachots au XIXᵉ siècle.

Louis Auguste Blanqui, théoricien socialiste, dans sa cellule du Mont en 1839.

Armand Barbès, compagnon de Blanqui, dans le cachot des condamnés à mort. Victor Hugo obtiendra sa grâce.

Michelet se rendit au Mont en août 1858.

Au plus haut de Saint-Michel, on vous montre une plate-forme qu'on appelle celle des *Fous*. Je ne connais aucun lieu plus propre à en faire que cette maison de vertige. Représentez-vous tout autour une grande plaine comme de cendre blanche, qui est toujours solitaire, sable équivoque dont la fausse douceur est le piège le plus dangereux. C'est et ce n'est pas la terre, c'est et ce n'est pas la mer, l'eau douce non plus, quoiqu'en dessous des ruisseaux travaillent le sol incessamment. Rarement, et pour de courts moments, un bateau s'y harsarderait. Et, si l'on passe quand l'eau se retire, on risque d'être englouti. J'en puis parler, je l'ai été presque moi-même. Une voiture fort légère, dans laquelle j'étais, disparut en deux minutes avec le cheval ; par miracle, j'échappai. Mais, moi-même à pied, j'enfonçais. A chaque pas, je sentais un affreux clapotement, comme un appel de l'abîme qui me demandait doucement, m'invitait et m'attirait, et me prenait par-dessous. J'arrivai pourtant au roc, à la gigantesque abbaye, cloître, forteresse et prison, d'une sublimité atroce, vraiment digne du paysage. Ce n'est pas ici le lieu de décrire un tel monument. Sur un gros bloc de granit,

il se dresse, monte et monte encore indéfiniment, comme un Babel d'un titanique entassement, roc sur roc, siècle sur siècle, mais toujours cachot sur cachot. Au plus bas, l'in-pace des moines ; plus haut, la cage de fer qu'y fit Louis XI ; plus haut, celle de Louis XIV ; plus haut, la prison d'aujourd'hui. Tout cela dans un tourbillon, un vent, un trouble éternel. C'est le sépulcre moins la paix.

Est-ce la faute de la mer si cette plage est perfide ? point du tout. Elle arrive là, comme ailleurs, bruyante et forte, mais loyale. La vraie faute est à la terre, dont l'immobilité sournoise paraît toujours innocente, et qui en dessous filtre sous la plage les eaux des ruisseaux, un mélange douceâtre et blanchâtre qui ôte toute solidité. La faute est surtout à l'homme, à son ignorance, à sa négligence. Dans les longs âges barbares, pendant qu'il rêve à la légende et fonde le grand pèlerinage de l'archange vainqueur du diable, le diable prit possession de cette plaine délaissée. La mer en est fort innocente. Loin de faire mal, au contraire, elle apporte, cette furieuse, dans ses flots si menaçants, un trésor de sel fécond, meilleur que le limon du Nil, qui enrichit toute culture et fait la charmante beauté des anciens marais de Dol, de nos jours transformés en jardins. C'est une mère un peu violente, mais enfin, c'est une mère. Riche en poissons, elle entasse sur Cancale qui est en face, et sur d'autres bancs encore, des millions, des milliards d'huîtres, et de leurs coquilles brisées elle donne cette riche vie qui se change en herbe, en fruits, et couvre les prairies de fleurs.

Jules Michelet,
la Mer, 1861.

Pour une interprétation historique de la fondation du Mont

Pour la chronique, saint Michel lui-même demanda à Aubert de fonder son sanctuaire. Nicolas Simonnet, conservateur du Mont Saint-Michel, se risque à une interprétation nouvelle, et inédite, du mythe fondateur du Mont.

❝Sous le règne du très pieux et très glorieux roi Childebert **❞** première Chronique du Mont.

« *Tous les chercheurs ont, depuis toujours, souligné tout ce que l'établissement du culte de saint Michel au mont Tombe doit à la légende du mont Gargan, alors pèlerinage de référence. Est-il possible toutefois d'aller plus loin que ce simple constat et de donner un sens à cette imitation ?*

– Plusieurs interprétations ont été proposées de l'installation au mont Tombe du culte de saint Michel, mais la plupart mènent à des impasses. » Première hypothèse : volonté de christianisation de peuples encore tout imprégnés de paganisme. On a cru déceler des références locales au culte de Bélénus, par exemple dans l'étymologie du nom de Tombelaine, l'île qui fait face au Mont-Saint-Michel...

– *Tun Bélénus, le tumulus de Bélénus... ?*

– ... alors que le nom vient de Tumbelena, la "petite tombe", par référence au Mont, la "grande" tombe. » On a vu aussi dans saint Michel le moyen de christianiser d'autres lieux de culte, gallo-romains.

– *On ne peut nier l'assimilation de saint Michel et de ces dieux romains : comme Apollon, il gère la lumière ; comme Mercure, il porte le courrier de Dieu ; comme Mithra, il affectionne les taureaux...*

– Absolument. Il y a d'ailleurs, en Vendée, un mont qui s'appelle Saint-Michel-Mont-Mercure, sur lequel le lieu de culte dédié à saint Michel est une évidente christianisation d'un temple de Mercure. Et, il est certain qu'au mont Gargan il y a un temple païen sous la caverne dédiée à saint Michel. » Ici, aucune trace archéologique d'un établissement antique. Et s'il y en avait eu, pourquoi n'en subsisterait-il pas, comme ailleurs, quelques traces ?

– Et ce fameux mégalithe qu'Aubert n'arrivait pas à renverser pour établir son

– Non. Dès la toute première version de la légende se trouve l'histoire du petit Bain renversant cette pierre que le diable tenait par en dessous. Mais, si c'est par exemple un dolmen, c'est une tombe, pas un lieu de culte. D'une part, les dolmens remontent au néolithique... Pourquoi ne serait-ce qu'au VIIIe siècle après J.-C. qu'on aurait décidé de renverser un monument dont le sens était enfoui sous les siècles ? D'autre part, cette même version primitive de la légende, qui est fort fiable, nous dit qu'existaient ici deux oratoires...

– ... à Saint-Symphorien et à Saint-Etienne...

– Comment auraient pu cohabiter sur cet étroit rocher deux oratoires chrétiens et un sanctuaire païen ? Admettons un instant cette cohabitation – du VIe au VIIIe siècle –, pourquoi soudain décider d'éliminer ce sanctuaire ?

» Autre hypothèse : la venue de moines colombaniens, car les Irlandais ont une dévotion particulière pour les archanges. Mais les fondations de Saint-Colomban sont très antérieures – monastères de Luxeuil en 590, de Bobbio en 614 –, et peu après, un compagnon de Colomban fonde le monastère qui porte son nom, Saint-Gall et, dans le cas d'un monastère fondé par un ordre structuré, n'aurait-on pas plus de témoignages ?

» A rebours enfin, on a voulu déceler ici une réaction à l'expansionnisme colombin : l'archevêque de Rouen aurait fait créer ici un sanctuaire qui marquât son territoire et arrêtât la percée bretonne...

» Peu vraisemblable : tout cela se passe en des périodes où l'archevêque a ici bien peu de pouvoir ; au sud-ouest de la Seine, la plupart des régions sont abandonnées à elles-mêmes.

» Alors, il est temps d'envisager une ultime hypothèse.

» A la fin du VIe siècle, dans deux partages successifs des royaumes mérovingiens, la cité et le diocèse d'Avranches sont rattachés non pas à la Neustrie frontalière dont les domaines s'étendent de Reims à la Manche, mais à l'Austrasie, ces territoires de l'Est dont la capitale est Metz.

» Rappelons-nous qu'il n'y a encore ni Normandie, ni même Bretagne. Les frontières des royaumes francs sont encore floues : ainsi le Mont sera breton de 867 à 933. La future Normandie se trouve donc en Neustrie, sauf Avranches, aberration des partages.

Aberration qui dure, d'un partage à l'autre, preuves de liens puissants entre les lignages nobles de l'Avranchin et l'aristocratie austrasienne.

» Une parenthèse d'histoire générale : celui qui est chargé de la formation puis de l'établissement de ces aristocraties naissantes, c'est le maire du palais. A lui le vrai pouvoir sous le règne de ces rois fantoches, "fainéants". Et vingt ans avant la fondation du Mont, en 687, le maire du palais d'Austrasie, Pépin de Herstal, écrase à Tertry l'armée neustrienne et réunifie les deux royaumes.

» Or, que dit la première version de la légende ? "Sous le règne du très pieux et très glorieux roi Childebert, qui régnait en même temps sur les

Pendant la guerre de Cent Ans, les Anglais attaquent par terre et par mer. Mais l'Archange, déjà au fait de sa fonction de protecteur de la France accroché à ce roc, détruit miraculeusement et la flotte et l'armée des envahisseurs.

royaumes de l'Ouest et du Septentrion, comme Dieu règne sur la totalité de Son royaume...", et de préciser que Dieu règne par saint Michel, et que saint Michel demande qu'un culte lui soit rendu ici comme au mont Gargan.

» Childebert, c'est le roi nominal. Le réunificateur, c'est Pépin. Si le roi est l'image de Dieu sur terre, Pépin, comme Saint Michel, est son porte-glaive.

» Il semble bien que vers la fin du règne de Pépin, le culte de saint Michel se développe particulièrement en Austrasie, en Lorraine et sur une île du Rhin. Il apparaît qu'une certaine manière de vénérer Pépin a pris la forme de sanctuaires voués à l'archange.

Destruction miraculeuse de la flotte anglaise du Mont-Saint-Michel, gravure de 1870.

In hoc signo vinces, « Par ce signe, tu vaincras » : ainsi a parlé l'Archange à l'empereur Constantin avant la bataille du Pont-Milvius.

— Et ce serait là une opération concertée de propagande ?

— Non. Cela va de soi dans le climat de religiosité ambiante. Dès 324, Constantin s'est fait représenter en saint Michel terrassant Licinius, qu'il venait de vaincre. Et il y a, en Occident, une volonté de décalquer l'Empire d'Orient pour créer un véritable empire d'Occident. Ce que fera le petit-fils de Pépin, un certain Charlemagne, qui placera officiellement son empire sous la protection de saint Michel.

» Il faut bien se représenter ce contexte où politique et religion sont intimement liées : dans la fondation même du mont Gargan apparaît la nécessité d'invoquer saint Michel pour se protéger des Lombards, repartis à l'assaut de cet Empire romain d'Occident en pleine déliquescence. A Bruxelles, un évêque place la ville sous le patronage de saint Michel, un évêque qui s'était battu pour récupérer les reliques de saint Léger, jeune aristocrate massacré par le maire du palais de Neustrie, Ebroïn. Il apparaît que dédier un lieu à saint Michel, c'est faire acte d'allégeance à l'Austrasie. Saint Michel est l'archange guerrier, celui qui a dit à Constantin, en lui présentant la croix à la veille de la bataille de Pont-Milvius, en 312 : *In hoc signo vinces*, « tu vaincras par ce signe ». Michel est le patron des forces du bien. En lui consacrant, ici, un nouveau culte, l'aristocratie d'Avranches rappelle à Pépin qu'elle a toujours été du bon côté – de son côté – contre les forces du mal neustriennes.

Les trésors médiévaux d'Avranches

La bibliothèque municipale d'Avranches conserve, dans son fonds ancien, à côté des volumes imprimés provenant de la bibliothèque de l'abbatiale, les précieux manuscrits du Mont-Saint-Michel, désormais à l'abri dans une chambre forte climatisée. Ils sont les survivants d'une riche bibliothèque monastique, constituée entre le VIIe et le XVe siècle, les témoins de l'activité d'un scriptorium — atelier de copie et d'enluminure — très productif.

M. Jean-Luc Leservoisier, qui a, à la bibliothèque d'Avranches, la charge de ce dépôt précieux, nous en a fait l'historique, et présente les éléments les plus remarquables, partiellement accessibles au public.

« *Comment les trésors du Mont-Saint-Michel, reliques et manuscrits précieux, sont-ils arrivés à Avranches ?*

– A la Révolution, la communauté monastique se disperse. Ses biens sont confisqués et, conformément à la loi, livres et reliques sont déposés à Avranches, chef-lieu du district, dans l'orangerie de l'évêché. Déjà, les riverains de la baie avaient envahi le chartrier pour mettre le feu aux contrats et titres les concernant, symboles de leur asservissement. La garde avranchine arrête le pillage et il faut imaginer les précieux manuscrits transportés sur des charrettes à travers les grèves, jusqu'à Genêts. Un inventaire est dressé en 1795. Et, après des déménagements, la bibliothèque municipale d'Avranches s'établit dans l'hôtel de ville en 1850.

La donation de Gonnor, miniature du *Cartulaire du Mont-Saint-Michel*, XIIe siècle.

L a donation du duc Richard aux moines du Mont-Saint-Michel, miniature du *Cartulaire*.

» La collection montoise se compose d'environ 2 000 volumes imprimés et 203 manuscrits, dont 199 médiévaux : un fonds de moyenne importance.

» Car la bibliothèque monastique avait été autrement considérable. Des disparitions se sont produites à travers le temps : effondrement en 1300 d'une tour édifiée par Robert de Torigny, entraînant la bibliothèque dans sa ruine, emprunts indélicats et vols commis par divers dignitaires, au temps des abbés commendataires, à la fin du XVIe siècle et au début du XVIIe. Les mauristes s'efforceront de réorganiser la bibliothèque, mais dom le Michel ne répertorie plus que 280 manuscrits, plus une quarantaine de livres liturgiques. Le reste "se perd" à la Révolution, et, en 1882, un visiteur étranger affublé d'une soutane emporte encore un beau bréviaire du XIVe siècle.

– *Que trouve-t-on dans ces manuscrits ?*

– Chaque siècle a laissé sa trace. Du VIIIe siècle, il nous reste les feuillets d'un évangéliaire, témoin de l'intérêt des chanoines installés par Aubert.

» La copie et la décoration des livres commencent vraiment dès 966, après l'installation des bénédictins, sous la direction des abbés Mainard Ier et Mainard II. Elles atteignent un sommet vers le milieu du XIe siècle, grâce à l'encouragement et à l'argent des ducs, en particulier sous l'abbatiat de Suppo, un abbé d'origine lombarde – les Italiens sont l'élite cultivée en Europe –, en rapport étroit avec l'abbaye de Fécamp.

» La bibliothèque s'enrichit des œuvres des Pères de l'Église, en tout premier lieu saint Augustin, de livres et commentaires liturgiques, de traités de comput, de chroniques et d'un des plus anciens recueils d'Aristote qui aient été transcrits en France.

» Les plus belles peintures – portraits d'auteur, scènes de controverse –, décorations, lettres ornées, mises en page, sont exécutées alors.

» Il faut attendre le milieu du XIIe siècle et l'abbatiat du grand abbé humaniste Robert de Torigny, conseiller du roi Plantagenêt, pour assister à un renouvellement. Robert de Torigny fait copier et acquérir toutes sortes d'ouvrages. Tous les genres sont cultivés au Mont : la théologie, la philosophie, les auteurs classiques latins et grecs – en particulier Aristote –, les auteurs médiévaux, le droit et l'histoire – le beau *Cartulaire du Mont-Saint-Michel* et la *Chronique* de Robert de Torigny, qui prolonge celle de Sigebert de Gembloux —, mais aussi la médecine, la musique – avec un traité de musique de Boèce, le *De*

Préambule du chant de la préface, enluminure d'un missel du XIIe siècle.

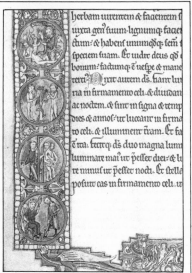

Adam et Ève assujettis au travail, enluminure d'une Bible du XIIIe siècle.

institutione musica, dont les intervalles musicaux sont illustrés – et même l'astronomie.

» La décoration est alors réalisée par des artistes formés en dehors de la Normandie, sans doute par des peintres itinérants, travaillant au titre du mécénat monastique.

» A partir du XIIIe siècle, les moines vont désormais faire leurs études à l'université, à Paris. Les manuscrits qu'ils ramènent, ainsi que ceux commandés par les abbés, sont exécutés par des laïcs salariés dans des ateliers professionnels, principalement à Paris. La bibliothèque fait alors l'acquisition de nombreux textes glosés pour l'enseignement des jeunes clercs, mais aussi d'une grande et belle Bible en deux volumes, de manuscrits juridiques, dont les *Décrétales* de Grégoire IX, œuvre de l'école de Bologne.

» Face à cette mutation culturelle et au contexte historique, la guerre de Cent Ans, le scriptorium est en déclin. Pourtant, et c'est exceptionnel, au XVe siècle, quelques moines copistes réalisent encore sur parchemin, peut-être dans une salle de la Merveille, la salle des Chevaliers, appelée "le scriptorium", des recueils d'histoire, des pièces liturgiques en français comme le *Tombel de Chartrose*.

– *Ces manuscrits sont-ils consultables ?*

– Oui, mais par les chercheurs, des chercheurs du monde entier, qui, aujourd'hui encore, questionnent les textes grâce à un support nouveau, le microfilm, qui leur donne accès aux manuscrits. La bibliothèque d'Avranches possède un lecteur de microfilms, mais en général, les demandes des chercheurs sont

Lettre ornée du *Contra Faustum* de saint Augustin, manuscrit du XIᵉ siècle.

Scènes d'accordailles, cartouche dans les *Décrétales* de Grégoire IX, XIIIᵉ siècle.

Jonas jeté à l'eau et englouti par la baleine, lettrine enluminée d'une Bible du XIIIᵉ siècle.

renvoyées à l'Institut de recherche et d'histoire des textes, rattaché au CNRS, qui leur adresse des duplicatas. L'IRHT a d'ailleurs réalisé une grande campagne photographique, et nous disposons d'un fonds de 750 diapositives couleur des enluminures.

» Un montage audiovisuel est maintenant projeté au musée d'Avranches, où, traditionnellement, une dizaine de manuscrits sont présentés au grand public, sous vitrine, pendant l'été. Le programme varie tous les mois.

» Il reste que les manuscrits et surtout les peintures sont fragiles. Ayant été attaqués par des champignons, ils ont été déposés pendant un an à la Bibliothèque nationale pour subir une cure de désinfection et sont l'objet des soins du service du Patrimoine de la direction du Livre.

» La ville d'Avranches a des projets de mise en valeur, à l'intention du grand public. Les supports modernes, les nouvelles technologies permettront certainement de mieux découvrir la beauté et la qualité de la peinture médiévale réalisée au Mont-Saint-Michel et, je le souhaite, de préserver ces trésors des atteintes du temps et des hommes. »

Construire/
Reconstruire

Depuis plus d'un siècle que le Mont Saint-Michel a été « classé » parmi les monuments historiques, les architectes chargés de la réfection de l'abbaye et de la ville n'ont cessé de le restaurer. Chacun à son tour s'est intéressé à tel aspect du site : l'église abbatiale, la flèche, les logis abbatiaux, les remparts... M. Pierre-André Lablaude, architecte des Monuments historiques en exercice au Mont, vient de mener à bien la réfection de l'archange-paratonnerre installé au sommet de la flèche, et a répondu pour nous à quelques questions sur cette activité de restauration.

« *Quand la restauration du Mont s'achèvera-t-elle ? Quand les ultimes salles encore fermées au public lui seront-elles ouvertes ?*

– Il ne peut y avoir de fin, c'est dans la nature même du monument. Toute son histoire n'est que construction, destruction, restaurations, un cycle continu. La restauration ne sera jamais achevée parce qu'elle est l'histoire même de l'abbaye.

– *Restaurer, est-ce construire ou reconstruire ? Lorsque les mauristes ont reconstruit la façade de la nef, ils l'ont fait en style XVIIIe, pas en roman.*

– Eux pensaient reconstruire en style roman. On ne peut pas dire que chaque époque reconstruit selon son style propre : l'activité de restauration en soi est fort ancienne. Regardez la cathédrale d'Orléans : détruite pendant les guerres de Religion, reconstruite au XVIIIe siècle en style gothique, même si c'est un gothique qui fleure bon le XVIIIe. Les architectes ont toujours été sensibles à ce qu'ont fait leurs prédécesseurs, même s'ils suent par tous leurs pores l'époque à laquelle eux-mêmes travaillent.

Choisir un style

» Enfin, dans toute restauration d'un monument de cette ampleur subsiste un problème : quelle époque, quel style restaurer ? Prenez par exemple le problème de la couverture du réfectoire. Historiquement, vous avez successivement de la tuile vernissée jusqu'aux XIIIe-XIVe siècles, puis de l'ardoise épaisse, l'ardoise de la région, enfin, au XIXe, de l'ardoise d'Angers. Ces trois états sont historiques, et aussi leurs éventuelles combinaisons.

» C'est sa sensibilité, en dernière

A insi se présentait la grande plate-forme ouest, sur le parvis de l'église abbatiale, lors des premiers travaux entrepris par Corroyer en 1875. Là sera découverte la tombe de Torigni.

instance, qui guide le restaurateur. Il n'y a pas ici d'*état* historique : tout dépend de la vision que l'on en a. » D'ailleurs, ce mélange de styles, cet aspect "monument bricolé", a découragé des gens comme Mérimée : le Mont n'était pas pour eux un édifice intéressant l'histoire de l'architecture, parce que trop composite. L'essentiel du combat esthétique au XIXe est justement entre ce qu'on pourrait appeler la ligne Viollet-le-Duc – l'unité de style – et la tendance Hugo – l'imaginaire romantique –. Quand Corroyer est envoyé ici en 1872, c'est d'abord pour décider de l'intérêt de "classer" le monument, alors que telle petite église de pur style roman est classée depuis 1848. Le Mont n'était pas alors une priorité. Mais vers 1880-1890, il devient, avec la cathédrale de Laon, le principal consommateur de crédits de l'administration des Beaux-Arts.

Comment naît un style composite

– *Comment les constructeurs ont-ils pu oser juxtaposer du roman et du gothique flamboyant ?*

– Chaque époque a reconstruit dans son style, en fonction de son évolution technique. L'architecture gothique invente les arcs-boutants, mais ne peut les concevoir sans les agrémenter de pinacles travaillés. Le Mont est la traduction de ces évolutions techniques. Ainsi, entre la nef recouverte d'un berceau en bois – procédé archaïque – et le chœur, pur gothique flamboyant, il existe un progrès technique sans contradiction esthétique. Au Mont comme sur tous les chantiers d'Europe : ainsi Saint-Maclou de Rouen, pur démarquage du Mont, sans qu'on sache lequel a servi de brouillon à l'autre. Ces innovations techniques étaient fonction du "tour"

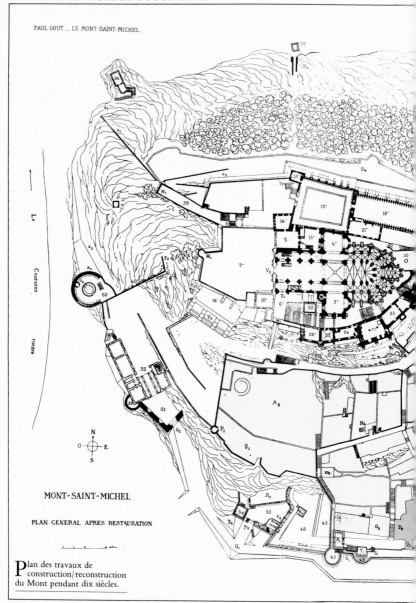

PAUL GOUT _ LE MONT-SAINT-MICHEL.

Le Couesnon rivière

MONT-SAINT-MICHEL

PLAN GENERAL APRES RESTAURATION

Plan des travaux de construction/reconstruction du Mont pendant dix siècles.

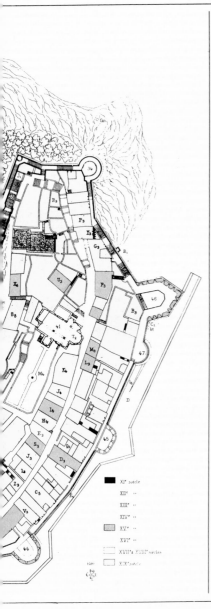

XI⁰ siècle
XII⁰ ..
XIII⁰ ..
XIV⁰ ..
XV⁰ ..
XVI⁰ ..
XVII⁰ à XVIII⁰ siècles
XIX-XX⁰ siècle

qu'accomplissaient alors les maîtres maçons. La notion d'architecture régionale n'existe pas : des maîtres maçons picards vont *naturellement* construire la cathédrale de Burgos.
» Au Mont, le problème venait du matériau. Regardez ce que pensait Mérimée du granit : "du sucre qui fond". Les maîtres maçons ont tout de même tenté de jouer de cette matière rebelle avec la même virtuosité qu'ils appliquaient aux pierres tendres de l'Île-de-France.

— De là viennent sans doute les différences entre le Mont et d'autres édifices du gothique flamboyant, souvent beaucoup plus ornés et ciselés ?

— Il y avait une double difficulté à surmonter : celle du matériau, et celle de l'acheminement des blocs à cette hauteur. Ils apportaient les pierres, par bateau, de Chausey, les taillaient au pied du Mont, les montaient au sommet : cette constance, cette énergie dans un chantier en continu sont stupéfiantes.

— Pourquoi prendre du granit ? Cela ne risquait-il pas de leur poser des problèmes de poids spécifiques ?

— La pierre calcaire utilisée ailleurs pèse entre 2,2 et 3,2 tonnes/m³, le granit entre 3 et 3,8 : les densités sont comparables. La raison de ce choix ? Simplement, le granit était moins cher ici. D'ailleurs, quand ils ont eu besoin d'un matériau plus fin pour les sculptures du cloître, il n'ont pas hésité à faire venir de la pierre de Caen.
» Pour en revenir à cette stupéfiante rapidité d'exécution, il y avait la foi, bien sûr, et l'argent. Mais surtout, quand on regarde, par exemple, la construction du chœur, une sorte d'ivresse, de délire : toujours plus haut.

Se crée ainsi un décalage entre la fonction première – mettre un toit à une église – et la réalisation, presque toute de virtuosité "gratuite".

– Il y a malgré tout dans cette gratuité une fonction symbolique, s'élever vers Dieu ?

– Justement, la fonction n'est presque plus que symbolique. C'est un système homogène : pas de séparation entre structure et décor, ni entre les fonctions pratiques et l'intention symbolique ou esthétique.

– Est-ce qu'on saurait (re)construire le Mont aujourd'hui – après un séisme par exemple – et à quel prix ?

– Si on voulait, mettons, reconstruire la partie de la nef détruite au XVIIIe siècle, comptez entre 30 et 40 000 francs/m². Et on saurait le faire, sans problème. Reste la question de la sensibilité...

Les principales étapes de la restauration

– Quels principes ont guidé les restaurations du XIXe ? Quel était l'état d'esprit de Corroyer, ou de Petitgrand, pour se lancer dans ces reconstructions – voire ces pures constructions, comme la flèche "gothique" de Petitgrand –, pour mimer ainsi le roman ou le gothique ?

– Nommé en 1872, Corroyer a passé presque deux ans, à plein temps, à se repérer, à dresser des relevés, un plan exact qui rendît compte de la logique du bâtiment – le Mont est un monument très complexe.
» Puis il a travaillé en fonction des priorités : la partie ouest, tout d'abord. L'hôtellerie s'était écroulée en 1818, on ne pouvait assurer l'étanchéité de la terrasse de l'ouest depuis la destruction

Le 23 octobre 1834, le Mont s'embrasa : il était compartimenté en structures de bois.

partielle de l'église en 1776... Ensuite, les parties hautes les plus menacées : le réfectoire et le cloître. Enfin, la restauration totale des remparts.
» Et dès 1875 Corroyer présente un projet de tour néo-romane, inspirée de Saint-Front, à Périgueux, dans un style angoumois assez curieux... Là commence la "mégalomanie" de Corroyer, qui en arrive, comme on m'a dit depuis, à en oublier le "t"...
» "Mon" Saint-Michel... Corroyer, fort de sa connaissance du monument, accepte de plus en plus mal la tutelle des commissions parisiennes. Il arrive encore à faire passer ses projets de réfection du cloître. Mais l'"affaire" de la couverture du cloître en tuiles vernissées – peut-être plus proches qu'on ne croit du modèle médiéval –

déclenche les hostilités. Manque de diplomatie : la commission des Monuments historiques ne manque pas, dès lors, de "fusiller" ses projets sur la tour (projet de démolition de l'étage XVIIᵉ, projet de flèche romane...). Et manque de psychologie. Bref, quand on obtient sa démission, tout le monde est soulagé de le voir partir : les Montois et l'administration des Monuments historiques.

Comment Petitgrand a donné au Mont sa silhouette définitive

– *Quand le Mont est-il devenu le monument national français ?*

– En 1897, à l'achèvement de la flèche.
» Quand il succède à Corroyer, Petitgrand, bien qu'élève d'Anatole de Baudot, est quasiment inconnu. Et il est d'un tempérament fort discret,

contrastant avec le caractère tonitruant de son prédécesseur.
» C'est cet individu effacé qui va parvenir à construire cette flèche spectaculaire. Car il est un tacticien remarquable. Il ne cesse de donner raison à la commission – "Gardons l'étage XVIIᵉ, mais je vais le romaniser."
Avant-projet accepté, et dans le projet d'exécution apparaît l'idée de la flèche : "J'ai refait à neuf les quatre piles de la croisée du transept, il me reste quelques crédits sur le budget accordé, j'ai donc fait des économies qui m'autorisent à vous proposer une flèche..."
» En fait, il démonte et remonte tout : il ne subsiste pas une pierre ancienne du sol de l'église au talon de l'archange. Et la flèche passe dans le mouvement.
Même si c'est une flèche néo-gothique rajoutée à un monument roman : mais

elle est si proche de la flèche de Notre-Dame !

» Eté 1896 : la maçonnerie est pratiquement terminée. Petitgrand commande les travaux de charpente, que dix compagnons mettent en place en six semaines. La statue sera installée le 6 août 1897, avant même que la couverture soit mise en place. Et le Mont acquiert sa physionomie définitive.

» Le plus amusant, c'est que la IIIe République, laïque et radicale, installe là un archange alors que les religieux de Saint-Edme de Pontigny ont été chassés depuis dix ans, et que l'on prépare la séparation définitive de l'Église et de l'État.

» C'est déjà moins étonnant quand on analyse l'œuvre de Frémiet – sculpteur "national" s'il en fut. Il ne faut pas oublier, à cette époque, le poids du souvenir de la défaite de 1870 : l'identification de saint Michel au défenseur de la France joue à fond, comme autrefois l'archange avait été le Français, rival de saint Georges, le saint anglais. Ce que le saint Michel de Frémiet foule aux pieds, c'est, confusément, le Prussien. D'ailleurs, le jour de la pose de la statue, il n'y eut aucune bénédiction.

État actuel de la restauration

– *Que reste-t-il à restaurer au Mont ?*

– J'ai été nommé ici en 1983, et j'ai poursuivi d'abord le chantier de M. Froidevaux sur l'abbaye romane. Puis a commencé l'opération de la flèche, la réfection de l'archange.

» On ne savait plus, quatre-vingt-dix ans après, quels matériaux et quelles techniques avaient été utilisés par les ateliers Monduit. Bronze ? Bois recouvert de cuivre ?

» On a donc d'abord reconstitué ces procédés d'exécution : cuivre repoussé et pièces soudées entre elles, selon les techniques de la chaudronnerie. Monduit, c'était alors un immense atelier de six cents personnes : les chevaux du Grand Palais, le pont Alexandre-III, ou la statue de la Liberté à New York, c'est eux.

» L'ossature métallique de la statue était finalement moins altérée que nous ne le craignions, mais la cuivrerie était beaucoup plus abîmée, par la foudre plus que par l'électrocorrosion. La foudre a littéralement mitraillé la statue : il y avait des trous à y mettre le petit doigt.

» L'année dernière nous avons travaillé, dans le village, à la restauration de l'hôtel Saint-Pierre – un projet original de pastiche intégral du XVe siècle, à partir de la maquette des plans-reliefs de 1701 conservés aux Invalides.

» Reste à réaliser la réfection des couvertures de l'abbaye, parce qu'elles ont été posées par Corroyer ou par

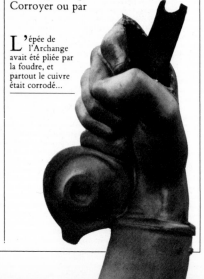

L'épée de l'Archange avait été pliée par la foudre, et partout le cuivre était corrodé...

Paul Gout, il y a déjà plus de quatre-vingts ans. Nous analysons donc actuellement les couvertures anciennes, et nous cherchons des carrières d'ardoise encore en exploitation. Nous nous orientons en fait vers quelque chose de plus brut que l'état actuel, trop "léché", mis en place au XIXe siècle : ici encore, on restaure la restauration. »

Souvenirs du Mont Saint-Michel

Endroit mystérieux s'il en est, prolixe en légendes populaires, le Mont Saint-Michel inspira nombre d'écrivains qui en firent, au XIXe siècle, un haut lieu du romantisme noir. Même le pèlerin moderne, le touriste replet évoqué par Alberto Savinio, garde de son périple des sensations étranges.

Je jetais cependant de temps à autre un coup d'œil sur le golfe de sable que domine avec tant de majesté la pyramide basaltique de Saint-Michel. C'était un de ces jours redoutables où la grève, plus mobile et plus avide encore que de coutume, dévore le voyageur imprudent qui se confie au sol sans le sonder. Le sable *enlisait*, comme on dit communément, et le glas du clocher avait annoncé déjà deux ou trois accidents. J'entendis tout à coup des cris qui appelaient au secours, et je vis en même temps l'apparence d'un corps bizarre qui n'avait rien de la forme humaine, mais qui attirait les regards par sa blancheur, et qui semblait lutter contre l'abîme, par une force particulière de résistance que je ne m'expliquais pas. Je courus à l'endroit d'où le bruit parvenait ; mais à l'instant où j'eus lancé la corde d'*enlise* que nous portons toujours dans nos résilles sur le point du gouffre où j'avais vu disparaître cette créature infortunée qui gémissait encore, elle ne pouvait plus s'en emparer, et toute l'arène retombait sur elle en tourbillonnant comme dans un entonnoir profond. Je vous laisse à juger de mon désespoir, d'autant plus amer que j'avais cru entendre articuler mon nom dans son dernier appel à la pitié des voyageurs. Je me hâtai d'y

plonger ma pointe à coques, pour la ressaisir par quelqu'un de ses vêtements, et je m'aperçus avec un plaisir inexprimable que mon bâton s'attachait par son croc de fer à un corps ferme et résistant qui me donnait la force de ramener à moi l'être incompréhensible que j'avais voulu sauver. Je luttai là, monsieur, contre Charybde acharnée à sa proie, et je ne fus pas peu surpris, quand j'eus traîné mon précieux fardeau jusqu'au lit de sable ferme et solide qui se trouvait tout auprès, comme à dessein, de reconnaître la Fée aux Miettes qui respirait, qui vivait, et que mon harpon avait heureusement retenue, en s'engageant sous une de ses longues dents.

Charles Nodier,
la Fée aux miettes, 1832

Ce sont d'étranges rivières que les cours d'eau qui sillonnent les grèves. Le Couesnon surtout, la *Rivière de Bretagne*.

Aucun fleuve ne tient son urne d'une main plus capricieuse. Torrent aujourd'hui, humble ruisseau demain, le Couesnon étonne ses riverains eux-mêmes par la bizarre soudaineté de ses fantaisies.

Mais ce n'est rien tant qu'il reste en terre ferme. Quand il attaque la grève, le caprice des sables s'ajoute au caprice de l'eau, et c'est entre eux une lutte folle. D'une marée à l'autre il déménage.

Ce filet d'eau qui raie la grève et qui la tranche en quelque sorte comme le soc d'une charrue, c'est le Couesnon. Cette grande rivière large comme la Loire, c'est encore le Couesnon.

Dans ce cas-là, le Couesnon étale sur le sable une immense nappe d'eau de trois pouces d'épaisseur ; le soleil s'y mire, éblouissant. Vous diriez une mer.

Et cette mer a ses naufrages, ses sables tremblent sous les pas du voyageur ; ils brillent, ils s'ouvrent, on s'enfonce ; ils se referment et brillent.

Elle doit être terrible, la mort qui vient ainsi lentement et que chaque effort rend plus sûre, la mort qui creuse peu à peu la tombe sous les pieds mêmes de l'agonisant, la mort dans les tangues.

Et que de trépassés dans ce large sépulcre ! (...)

Et vraiment il ne faut pas voir les choses sur ces grèves si l'on veut rester dans la réalité. Tout y revêt un cachet fantastique. Pas n'est besoin d'aller au Sahara pour voir de splendides mirages.

Les sables de la baie de Cancale reflètent des fantaisies aussi brillantes, aussi variées que les sables d'Afrique. La pâle lune des rivages bretons évoque des féeries comme le brûlant soleil de Numidie.

Ce sont là de miraculeuses visions, des rêves inouïs que nulle imagination n'inventerait, même dans le délire de la fièvre ; mais sous lesquels il n'y a que les sables nus attendant leur proie.

Paul Féval
la Fée des grèves

La baie du Mont-Saint-Michel

Genêts, août 1931

Le Mont-Saint-Michel est à la France, toute proportion gardée, ce que Venise est à l'Italie. Il fut tour à tour couvent de bénédictins, forteresse, prison d'État. Aujourd'hui nul pèlerin en prière ne traverse, pieds nus, exténué, les sables de la baie pour vénérer le sanctuaire de l'archange; nul adversaire émacié de Napoléon III ne croupit, enchaîné, au fond des geôles ténébreuses du pénitencier politique; mais des touristes replets se rendent là-haut, cicerone en tête et guide à la main, soit dans de confortables automobiles par la digue qui raccorde l'île à la côte bretonne, soit grâce aux voitures hippomobiles qui partent tous les jours de la côte normande. (...)

Le pèlerin moderne, qui, à l'instar des Hébreux de l'exode, a traversé la mer à pied sec, sur le point d'atteindre son but, découvre une zone pestilentielle entourant les murailles crénelées et les tours de garde. Et là, parmi des matières de nature désormais indéfinissables, il avise un affreux amalgame de boîtes de sardines éventrées, d'écorces de melons, de coquilles d'œufs, de carcasses de langoustes, de chiffons crasseux, de peignes édentés, de têtes de poulets, de chats crevés, et surtout d'écailles de ces huîtres qui fleurissent sur la côte voisine de Cancale, et qui, à cause de leurs dimensions, sont appelées « sabots de cheval ». (...)

Au milieu de cette baie, où le dénommé Poséidon se montre tellement hystérique et bilieux, le Mont-Saint-Michel trouve son *pendant* avec l'île de Tombelaine. Dupont, chanoine érudit, raconte que le nom Tombelaine provient de la pitoyable histoire d'une princesse Ilaine, dont on ne connaît rien de plus, laquelle aurait, suite à je ne sais quelle déception amoureuse, choisi pour tombe cet îlot solitaire et inhospitalier. Mais cette explication sent trop son Maeterlinck à mon goût pour qu'il convienne de s'y attarder.

Au temps des druides, Tombelaine était habitée par de girondes prêtresses qui initiaient les adolescents de la région aux mystères de l'amour. Le rite, comme le veut l'usage, s'accomplissait à la faveur de la nuit. Et quand l'initié, riche d'une nouvelle expérience et d'une déception nouvelle, retournait sur le continent, moitié à pied, moitié à la nage, les anciens de la tribu l'élevaient du grade d'*adulescentuius* à celui de *viro*.

De tout ce qui précède, le lecteur le plus endormi aura au moins compris que cette mer qui vient à intervalles réguliers mouiller les marches du Mont-Saint-Michel et les rochers de Tombelaine est d'une espèce singulière. A cet endroit de l'univers, l'effort que le Seigneur accomplit au troisième jour de la création ne fut pas suivi d'effet. Ici l'eau et la terre sont encore mêlées en une confusion primordiale. Et lorsque la mer se retire, sur ce désert sans âme tantôt sillonné de crevasses, tantôt clairsemé de zones caillouteuses, taché ici et là de traînées de boue et ridé sur toute sa surface de vagues immobiles comme celles du Sahara sous les coups du simoun, rampent, serpentent et se tordent les anneaux blêmes et changeants des fleuves qui descendent du continent.

Alberto Savinio,
Souvenirs.

Un voyage en 1869

Peintre et dessinateur, Edouard Detaille (1848-1912), spécialiste de la peinture militaire et patriotique, a laissé un « Journal de voyage au Mont » en croquis.

L'Extase...........

La joie d'Étienne on l'arrivée au Mont 1ᵉ N

La visite aux cachots.

L'entrée au Cloître — remise
des Clefs. explications.

Marée montante

Manœuvre du mortier du front gt Michel —
(Relation du prisonnier — explications

Conférence dans les caves de la
Tour du midi. —

Conversation à notre Couvent
(Le repos dans la salle des Chevaliers)

Vous ne voudriez pas prendre
un verre de vin ?
premiers ébauches de relations cléricales.

— La chanson de Barbès ! —
Chantée par Lebrecq, guide au Mont St Michel

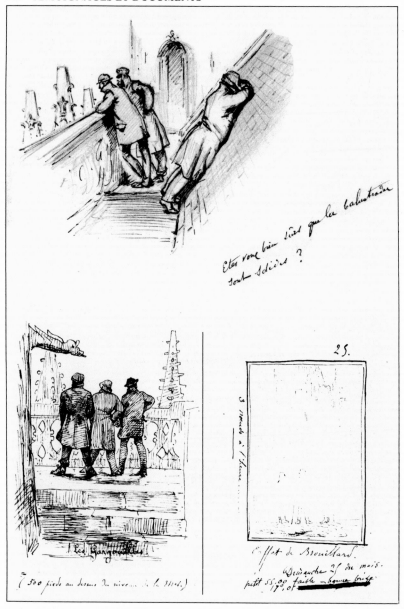

Êtes vous bien sûrs que les balustrades
sont solides ?

(500 pieds au dessus du niveau de la mer.)

25.

Effet de Brouillard.

Le frère photographe.

En chauds-enlizés   Départ !

Quel avenir pour le Mont ?

Lorsqu'on dit qu'un monument défie le temps, cela signifie ordinairement que son passé s'impose à son présent. Mais le présent lance aussi des défis au passé. Il ne suffit plus de conserver un monument historique, il faut aussi le gérer. Eric Vannier, maire du Mont Saint-Michel, a bien voulu, pour nous, dresser un « état des lieux » et tenter de définir ce que pourrait être une véritable politique de gestion du capital culturel, pour mieux répondre aux questions que l'avenir pose au présent, et que la stricte référence au passé ne saurait éluder.

Le Mont dans son environnement

« Le Mont est un îlot de semi-prospérité dans une région globalement en crise, une région essentiellement agricole, spécialisée dans la monoculture du lait, activité de moins en moins rentable au vu de la politique européenne. Dans ce contexte, on comprend la quasi-absence de contacts entre le Mont et son environnement. Mais peut-être n'est-ce qu'une jalousie héritée des anciens rapports féodaux entre l'abbaye et ses dépendances ?

» Le premier problème est psychologique : la région doit comprendre et admettre que son développement passera par celui du Mont. Plus il y aura de visiteurs au Mont, plus la région en profitera : si vous êtes un petit commerçant, vous avez tout intérêt à avoir un hypermarché à votre porte, intérêt à ce que sa clientèle soit sans cesse multipliée, car la proportion de ce que vous récolterez connaîtra une progression identique. La région ne pourra profiter du Mont que lorsque celui-ci se portera mieux : leur intérêt passe par le nôtre.

Les problèmes actuels du Mont

» Ma spécialité, ce n'est ni la spiritualité, ni les problèmes de conservation du monument, mais le développement du tourisme comme outil économique. Or, que constatons-nous ?

» Le Mont connaît aujourd'hui une relative stagnation de sa fréquentation. Mais il faut immédiatement préciser que ce n'est pas spécifique au Mont : tous les monuments historiques en sont là.

» Il y a un problème évident d'infrastructure, aussi bien routière que ferroviaire : l'accès au Mont n'est pas aussi facile que ce qu'il devrait l'être. Mais ces problèmes, qui se posent à nous, sont du ressort de la Région. Et nous avons vu que la Région n'a pas encore bien compris où est son intérêt...

» Il y a eu, bien entendu, des problèmes avec les responsables des Monuments historiques. Après une crise aiguë en 1983, nous avons pu signer, l'année suivante, une convention avec le ministère de la culture portant sur l'information, l'accueil et la promotion du Mont, convention pour laquelle l'Etat et la Ville se sont engagés financièrement à parts égales. Cet accord s'est matérialisé déjà, par une amélioration de la signalisation urbaine, la création d'une crèche et d'une infirmerie, et un effort particulier de promotion mondiale : le Mont est un site national *et* international avant d'être un site régional, à tel point qu'il est difficile d'intégrer le Mont à des circuits touristiques plus spécifiquement normands. Quelqu'un qui vient de "faire" l'abbaye du Mont n'a guère envie de visiter une église, aussi jolie soit-elle, située à 15 ou 20 kilomètres.

La grande rue du Mont, lithographie.

Problèmes écologiques et problèmes humains

» Ce qui fait du Mont un lieu unique, c'est l'étroite imbrication de ses trois éléments fondamentaux : le monument, le village et la baie. On ne peut pas penser l'un de ces éléments sans le mettre en corrélation avec les deux autres.

» Ainsi, il y a un problème d'ensablement progressif de la baie. Mais toute tentative de désensablement visant à créer un nouveau paysage doit se préoccuper des problèmes humains : je ne sacrifierai pas les hommes à l'écologie, et dans ce combat j'ai derrière moi l'unanimité des Montois. Le Mont est avant tout une réalité économique.

» Première proposition : on veut supprimer les parkings de proximité. Seconde proposition : remplacer la digue haute par un similipont.

» Cela reviendrait à vouloir à toute force couper le Louvre de la rue de Rivoli, sous prétexte qu'il y avait autrefois un fossé. Et économiquement, ce serait un désastre : vous n'avez jamais vu un hypermarché fonctionner avec des parkings situés à des kilomètres. Le Mont est de même nature : une voie unique avec un marché concentré sur une certaine surface. Tout autre moyen d'accès que la voiture individuelle avec des parkings au pied du Mont serait aberrant. Bien sûr dans ce domaine on se heurte à diverses administrations, et trouver un consensus est une œuvre de longue haleine. Mais quels que soient les problèmes écologiques ou esthétiques, outre les questions de sécurité il est tout de même bien pratique de pouvoir amener une ambulance au pied du Mont, on ne peut tout de même pas isoler une commune contre sa volonté.

Le tourisme présent et futur : quels moyens pour un développement ?

» Le Mont-Saint-Michel est un site très "fort", qu'il faut mieux vendre. Quels

Et les moutons des prés-salés vont brouter vers le Mont...

sont les chiffres actuels ? Le Mont reçoit, par an, un million deux cent mille visiteurs. Sur cette masse, huit cent mille visitent l'abbaye proprement dite. Citez-moi un seul monument qui ait un tel taux de remplissage, et cela malgré le caractère très "physique" d'une visite au Mont. Pour prendre un exemple, Paris reçoit vingt-cinq millions de visiteurs par an : y a-t-il un seul musée fréquenté par 75 % de ces touristes ?

» Le vrai problème, c'est que un million deux cent mille c'est insuffisant. Il devrait y avoir le double de visiteurs au Mont. Nous vivons sur une certaine notoriété, mais jusqu'à une période récente nous ne faisions rien pour améliorer notre image.

» Contrairement à d'autres sites de la région, nous ne recevons aucune subvention. Nous avons donc fait appel au mécénat privé pour mener une véritable action promotionnelle culturelle. En juin 1987, s'est déroulé le premier festival du Mont, avec des artistes aussi réputés internationalement que Esther Lamandier, Daniel Mesguich, plusieurs orchestres de niveau international, et plusieurs sociétaires de la Comédie-Française qui sont venus créer en province une adaptation remarquable du *Cantique des cantiques*, auquel le Mont a fourni un décor naturel exceptionnel.

» Enfin, c'est encore à l'initiative privée que l'on doit le développement de l'hôtellerie, et son amélioration, aussi bien en qualité qu'en durée : dorénavant certains établissements seront ouverts à l'année, car le Mont ne peut plus se satisfaire de réaliser l'essentiel de son chiffre d'affaires sur deux mois de l'année. »

Le Mont au péril de la terre

On le sait : le danger aujourd'hui ne vient plus de la mer. Il y a beau temps que les marées quotidiennes s'arrêtent loin du rocher. Le ministère de l'Équipement a mis au point un programme de désensablement du mont. Jean Doulcier en est le responsable.

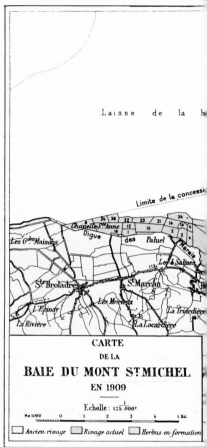

Pêcheur de coques du Mont-Saint-Michel.

« *La baie du Mont-Saint-Michel s'ensable. Mais à quel rythme ? Quel est le diagnostic présent et à venir ?*

– C'est l'extension du « banc de l'est » à droite du Mont qui a été à l'origine des préoccupations relatives à l'ensablement : ce banc atteint déjà la parallèle du Mont. A moyen terme, le Mont ne sera plus une avancée en

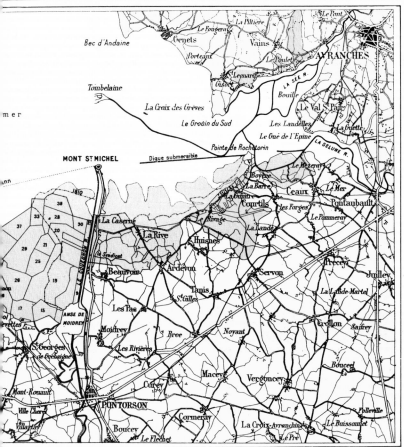

direction du large.

» Ce qui rend l'étude difficile à partir des connaissances scientifiques ou techniques d'aujourd'hui, c'est la configuration elle-même de la baie, à deux dimensions : en effet, les phénomènes relatifs aux courants et aux dépôts en sédimentologie sont bien maîtrisés lorsque le site, tel celui d'une rivière ou d'un canal, présente une grande composante en long mais des grandeurs en petite coupe transversale. Tel n'est certes pas le cas de la baie du Mont et ce d'autant plus que son contour est fort complexe avec des resserrements et des élargissements provoquant des courants transversaux.

» L'extrapolation est périlleuse, c'est comme la différence entre le calcul d'impact d'une poutre et celui d'une dalle : ici c'est comme une dalle qui serait fort baroque.

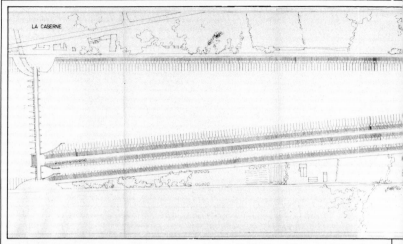

Le canal aujourd'hui en construction entre Pontorson (à droite) et La Caserne (à gauche) s'élargit entre deux barrages, permettant la formation d'une écluse-réservoir alternativement emplie par les eaux du Couesnon et par celles des marées.

» Ainsi, en l'espèce, ces difficultés d'extrapolation ou d'interprétation des théories formulées par ces phénomènes linéaires ont-elles conduit à la construction d'un modèle analogique réduit.

» Ce n'est pas un modèle de représentation, encore moins une maquette, c'est une transformation de l'espace en similitude : en réduisant par exemple les longueurs de 1 à 0,1, les surfaces sont réduites de 1 à 0,01, les volumes de 1 à 0,001 : les relations entre lignes, surface et volume deviennent tout autres et ce d'autant plus que la pesanteur, elle, n'est pas réduite du tout.

» Ce modèle analogique a permis d'apprécier l'évolution de la baie depuis 1975 jusqu'à la fin du siècle.

» Surprise. Si effectivement le banc de l'est se renforce, se forme aussi un banc à l'ouest dont l'extension risquerait de fermer la baie devant le Mont rendant vains tous les efforts accomplis en amère.

– 1995, c'est demain : quelle est donc l'urgence pour aujourd'hui ?

– Le phénomène est cumulatif, les effets amplifient leurs propres causes, le banc qui se stabilise plus avant est une base pour une avancée plus avant encore. Mais paradoxalement, c'est la raison d'espérer de maîtriser le retour, car s'il est possible d'agir sur la cause elle-même, l'effet sera "décumulatif" aussi.

» Le diagnostic de cette cause est celui-ci : à marée montante, le flot forme une sorte de rouleau, dans le genre d'un mascaret, très chargé en sédiments. Ceux-ci, à l'étale de haute mer, lorsque tout s'apaise, se déposent. Comme il n'y a pas de courants importants au reflux, ils restent sur place.

– Il y eut donc des courants qui n'existent plus ?

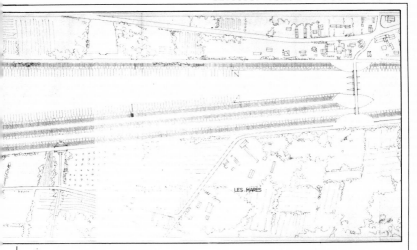

LES MARES

— La mer ne peut remonter actuellement dans aucun bassin de fleuve côtier, hormis ceux de la Sée et de la Sélune, alors que jadis tous ces fleuves formaient au reflux de puissants courants. Pour en donner une idée, pendant un temps certes bref, au droit de Tombelaine, le débit de la Sée et de la Sélune réunies est de l'ordre de celui de la Volga. Un tel débit ne provient bien sûr pas de leurs sources, il est aisé d'en imaginer l'effet de balai.

» Ainsi les travaux de la fin du XIXᵉ siècle gênent-ils le cours des phénomènes naturels non point tant parce qu'ils ont fait émerger des milliers d'hectares mais parce qu'ils ont empêché la mer de remonter dans les lits majeurs des fleuves côtiers.

— *Mais toutes les baies n'ont-elles pas une tendance naturelle à l'ensablement ?*

— Certes. Ainsi le mont Dol a-t-il été inséré dans les terres depuis l'aube des temps historiques. Alors la baie du Mont-Saint-Michel aurait dû, elle aussi, s'enliser "naturellement" depuis longtemps.

» Aux légendes, ils convient de résister par le scepticisme scientifique, cependant il n'est pas interdit de penser, à propos de la forêt de Scissy, que, à l'échelle de quelques millénaires, peuvent se produire, par exemple, un raz de marée extraordinaire, des phénomènes qui outrepassent le "droit commun" d'une baie s'enlisant lentement.

» Le Cotentin est une barrière faisant face à l'équerre aux marées de l'Atlantique, cette énergie du mouvement se transforme devant l'obstacle.

» Ainsi la baie du Mont serait-elle déjà extraordinaire même sans le Mont : ce sont les interventions humaines qui ont, en quelque sorte, "rangé" le site malgré lui sous la loi commune de l'ensablement.

— *Parmi toutes ces réalisations du siècle dernier, la digue qui relie le Mont à la terre a-t-elle une responsabilité centrale dans l'ensablement ?*

— Actuellement, ce n'est pas le facteur

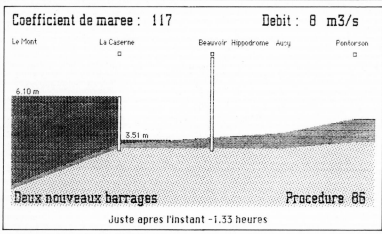

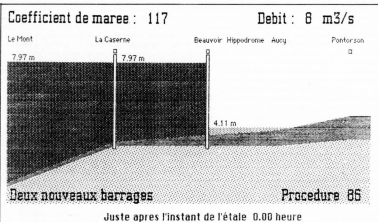

clef du système. Il est extrêmement vraisemblable que les ingénieurs qui l'ont construite l'ont installée sur une sorte de point mort, d'angle mort de l'action des marées. Il doit cependant être noté que par grand vent se forme une dénivellation de l'ordre de 10 à 20 centimètres, laquelle formerait un courant d'ouest en est si la digue n'existait pas.

» Dans tous les essais sur le modèle, supprimer la digue ne change pas sensiblement l'abaissement possible des fonds dû au rétablissement de l'effet des fleuves.

» Il n'est ainsi pas permis d'ôter ou de modifier la digue mais de rétablir les volumes oscillants d'eaux de mer, dans le Couesnon d'abord, puis à l'est.

» Quand les fonds seront ainsi abaissés,

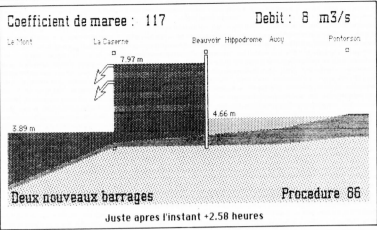

Coefficient de maree : 117   Debit : 8 m3/s

Le Mont   La Caserne   Beauvoir Hippodrome Aucy   Pontorson

7.97 m

4.66 m

3.89 m

Deux nouveaux barrages   Procedure 86

Juste apres l'instant +2.58 heures

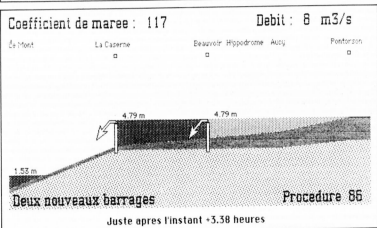

Coefficient de maree : 117   Debit : 8 m3/s

Le Mont   La Caserne   Beauvoir Hippodrome Aucy   Pontorson

4.79 m   4.79 m

1.53 m

Deux nouveaux barrages   Procedure 86

Juste apres l'instant +3.38 heures

alors l'énoncé des problèmes concernant la digue sera tout autre qu'il ne l'est aujourd'hui. La digue n'apparaissant qu'à peine au-dessus des atterrements proches. L'urgence première et fondamentale est de déblayer ces millions de mètes cubes et ainsi d'abaisser les fonds.

» Les travaux ne sont pas en eux-mêmes exceptionnels, ils exigent chacun d'eux deux années de réalisation après une année d'études et de définitions spécifiques.

» Les effets se manifesteront vraiment après trois à cinq ans de fonctionnement très intense : il faut rattraper plus d'un siècle de sédimentation. Il faudra consentir à voir pendant trois ans une sorte de torrent, presque alpin, qui ravinera profondément, l'espérons-nous, l'espace. Mais, le modèle l'a montré systématiquement, en revenant à un fonctionnement plus doux et progressif, des barrages se formeront les méandres et les divagations classiques du site : ainsi cinq ans de transition sont-ils à consentir avant le rétablissement du vrai caractère maritime de cet environnement.

— *Comment va s'opérer ce déblaiement ?*

— Ainsi, en entreprenant études spécifiques puis travaux dès maintenant, à l'horizon 1995, la vision générale de toutes choses pourra-t-elle être très différente de celle d'aujourd'hui.

» La digue d'accès est au niveau de 9 mètres, ce qui correspond sensiblement à la moitié de la hauteur des murailles. L'assaut serait bien facile.

» Cette relation, pourtant objective, n'est pas nettement perçue aujourd'hui du fait de l'enlisement mais aussi parce que, pour l'architecture, la digue est un corps mou par rapport aux murailles dures.

» Ah ! Alors, si avec les meilleures intentions de bien faire on remplaçait la digue par un magnifique pont'en pierres de taille à voûtes en plein cintre à garde-corps massifs, un tel ouvrage par sa présence et son poids ferait disparaître les murailles.

» Il est ainsi essentiel que l'accès ne lutte ni pas sa matière ni par ses formes avec l'architecture des murailles, il est possible de faire bien pis que la digue actuelle...

» Un ouvrage ayant le caractère d'un *meuble* et non celui d'un immeuble n'est pas inconcevable en bois par exemple sur des piles espacées non directrices des courants.

» Un accès sous-marin et souterrain n'est plus techniquement inconcevable, par exemple en caissons successifs de béton de précontrainte assemblés par des câbles qui resteraient apparents comme les cordes d'un violon pour être contrôlés (contrôle par la hauteur du son qu'ils émettraient sous tension !)

— *Quelles sont les solutions actuellement envisagées ?*

— Le cahier des charges de l'étude déclare que la qualité de l'accès au Mont doit rester sans atteinte au premier chef pour ce qui est de la sécurité des personnes et des biens. Ce cahier des charges dit aussi que, hormis localement, les terres agricoles cadastrées ne seront pas remises en cause.

— *Pratiquement, dans ces deux hypothèses, comment envisagez-vous l'accès des touristes au Mont ?*

— L'accès au Mont doit être permanent et sûr pour toutes les fonctions qu'assument l'Etat et les collectivités locales. Pour les visiteurs, à défaut de pouvoir être immédiat pour tous, il doit avoir un caractère ludique et permettre de faire une promenade agréable autour du Mont et vers le Mont...

— *Revenons au présent, quelles sont les prochaines tranches de travaux ?*

— En 1983 a été supprimée, plus exactement tronquée, la digue de Roche Torin afin de permettre la divagation de la Sée et de la Sélune.

» En deuxième phase devront être aménagés deux, éventuellement trois bassins d'accumulation des eaux de mer, soit derrière une nouvelle digue parallèle à l'actuelle ; soit, si c'est possible, à l'intérieur des terres : pour un million de mètres cubes, il faut 30 hectares avec 3,50 mètres de hauteur... Curieusement l'étude a montré que le débouché de ces bassins, pour être efficace devait se situer là où étaient les estuaires des fleuves détournés.

» Mais les travaux premiers concernent le réaménagement du fleuve le Couesnon. L'élargissement du lit du fleuve, progressif depuis Beauvoir jusqu'à l'estuaire où il atteindra sa pleine largeur, permettra d'accueillir plus d'un million de mètres cubes entre deux barrages, l'un à la Caserne, face au Mont, l'autre à la grève de Beauvoir, celui-ci empêchant la progression des eaux de mer plus en amont, tandis qu'un canal latéral en rive gauche permet de garantir le drainage des polders et d'assurer plus aisément les conditions de vie entre le milieu fluvial et le milieu marin, les poissons étant sensibles à "l'odeur" de l'eau non salée : l'espoir existe d'y revoir des saumons et des civelles...

» Pour cette étude, la dimension en largeur étant nettement plus petite que celle en longueur, n'est-ce pas, un modèle informatique de simulation de fonctionnement a été établi.

» Il y a eu à former trente et une procédures de gestion de ce système, en fonction du niveau des marées et du débit du fleuve, pour rechercher une gestion qui fournisse la performance la meilleure sans cependant consentir au risque d'inondation en amont du fait des eaux du fleuve arrêtées dans leur cours quand le niveau en aval est plus élevé que le leur.

» Ce modèle a permis de trouver la meilleure position du barrage en amont : très proche de Pontorson. L'admission des eaux de mer est excellente mais le volume du lit en amont est petit. Il faut renoncer à l'efficacité du système à la moindre crue très proche de l'estuaire. Le fonctionnement est toujours possible mais le volume d'eau de mer est trop faible.

» C'est ainsi, en faisant fonctionner chaque configuration du système dans l'ordinateur pendant une année entière, qu'ont été appréciés les résultats et qu'a été choisi le meilleur.

» Ces procédures de gestion, éventuellement simplifiées, seront celles mêmes de l'exploitation, en leur adjoignant évidemment les procédures de sécurité.

» Les problèmes d'ordre technique pour la construction se trouvent dans l'exigence pour les barrages de fonctionner dans les deux sens : dans de tels cas, il doit contenir les eaux de la mer en amont, alors que la mer elle-même s'est déjà retirée ; dans tels autres, il doit empêcher les eaux de mer d'entrer dans le lit du fleuve. Ces efforts alternés sont toujours plus difficiles à tenir que ceux dont l'action s'exerce toujours dans le même sens. Sur des fondations formant caissons, établies sur le socle dur à la cote − 12 mètres, le barrage aura à tenir les eaux depuis le niveau du fond du lit à + 2, jusqu'à celui des plus hautes marées par grand vent + 9,15.

» Les options d'architecture, horizontalité, absence de pièces mobiles au-dessus du couronnement à 10,20 (correspondant au niveau des digues avec un garde corps de 1,05 mètre) ont à assumer les suggestions et les sujétions de l'art de l'ingénieur. Ça paraît possible... »

INDEX

CRÉDITS PHOTOGRAPHIQUES

Bibl. municipale d'Avranches 24b, 29, 36, 40, 41, 44, 152, 153, 154g, 154d, 155hg, 155hd, 155m. Bibl. munic. de Toulouse 31. Bibl. nat., Paris 14h, 14b, 15, 16/17, 25, 26, 30, 57, 72, 76, 94h, 94b, 112/113, 114/115, 167, 168, 169, 170, 171, 172, 173. Jean-Loup Charmet 137, 150b, 176-177. Droits réservés couverture, 4ᵉ couv., 11, 13, 19, 22/23, 25, 27, 42, 43, 46, 47g, 47d, 48/49, 50, 51, 52, 54, 55, 56, 61, 62, 64/65, 66h, 66b, 67, 68/69, 70/71, 73, 77, 78g, 78d, 79h, 80/81, 82/83, 84, 85, 86, 87, 89, 90/91, 91g, 91d, 92/93, 95h, 95b, 96-97, 99b, 103, 107b, 108h, 109h, 110-111, 116, 117h, 117b, 120, 123h, 124, 125, 126, 127, 128, 130, 132, 133, 136h, 136b, 139, 140, 141g, 143h, 144, 145h, 145b, 146g, 146d, 146b, 148, 150, 157, 158-159, 174, 175, 178-179, 180-181, 182-183. Ecomusée de la Vendée 74. Edimedia 34h, 34b, 60. E T Archives, Londres 6/7. Gemob, Beauvais, 129. Giraudon 4-5, 12, 18, 20, 21, 24h, 28, 32, 33, 35, 37, 38h, 39h, 42, 58, 131, 134, 135. Eric Guillemot 105, 109b. Kharbine/Tapabor 110h. Pierre-André Lablaude 11, 100, 101h, 101b, 162, 163. Musée d'Amiens 8/9. Musée des Beaux-Arts, Calais 4/5. Musée de la Publicité 102. R M N 62g, 63. Roger-Viollet 107h, 122/123b, 138, 143b, 147, 151. © SPADEM, Paris 2/3. SPADEM Arch. phot. Paris 38b, 39b, 59, 75, 79b. Crédits photos SPADEM/Arch. Phot. Paris. © SPADEM/Caisse nationale des monuments historiques et des sites 53, 59, 75, 79b, 88h, 88m, 88b, 98, 99h. Tate Gallery, Londres 1, 165. Association Tombelaine 118, 119, 121h, 121b, 141d, 164.

REMERCIEMENTS

Nous remercions les personnes et les organismes suivants pour l'aide qu'ils nous ont apportée dans la réalisation de ce livre : Mᵐᵉ Geneviève Viollet-le-Duc, Mᵐᵉ Françoise Bercé, à la direction du patrimoine, M. Germain Loisel à la Caisse nationale des Monuments historiques et des sites, M. Michel Camus au musée des Plans-reliefs, la bibliothèque municipale d'Avranches, l'Association Tombelaine, Pierre Pitrou et François Delebecque, photographes, les éditions Fayard pour « *Souvenirs* » d'Alberto Savinio. La collection personnelle de M. Pélage de Coniac, qu'il a gracieusement mise à notre disposition, nous a fourni une bonne partie des documents reproduits dans cet ouvrage. Nous sommes particulièrement redevables au Père de Senneville, à MM. Pierre-André Lablaude, Nicolas Simonnet, Jean Doulcier, Jean Leservoisier, Eric Vannier, qui ont bien voulu répondre à nos questions.

Table des matières